gente hoy 2

hoy

Libro de trabajo

Curso de español basado en el enfoque por tareas

Ernesto Martín Peris
Pablo Martínez Gila
Neus Sans Baulenas

gente hoy 2

Libro de trabajo

Autores

Ernesto Martín Peris
Pablo Martínez Gila
Neus Sans Baulenas

Asesoría pedagógica

Jaume Muntal

Asesores internacionales

ALEMANIA: Kika Carreño Ruíz, Würzburger Dolmetscher Schule, Würzburg; Loreto Díaz, IC Bremen; Ángel González Curbelo, Universidad de Würzburg; Susana Iranzo, IC Bremen; Javier Navarro Ramil, IC Hamburgo; Carmen Pastor Villalba, IC Múnich; Myriam Pradillo Guijarro, IC Bremen. AUSTRIA: Ainhoa Bestué, IC Viena. BÉLGICA: Eva Beltrán, IC Bruselas. BRASIL: Eleonora Pascale Val, IC Sao Paulo. ESPAÑA: Sandra Gobeaux, Speakeasy Barcelona. HOLANDA: Silvia Canto Gutiérrez, Universidad de Utrecht. ITALIA: Judith Gil Clotet, IC Nápoles. MARRUECOS: Bárbara Moreno, IC Casablanca; Sonia Ortega, IC Casablanca; Ángeles Ortiz, IC Casablanca. TÚNEZ: Mercedes Barrios e Isabel Miralles, IC Túnez

Coordinación editorial y redacción pedagógica

Sergio Troitiño y Pablo Garrido

Redacción técnica

Gema Ballesteros

Diseño y dirección de arte

Natural, Juan Asensio

Maquetación

Juan Asensio

Ilustraciones

Pere Virgili, Àngel Viola (págs. 11, 15, 16, 22, 26, 55), Alejandro Milà (págs. 42, 45, 63, 82, 93), Martín Tognola (págs. 32, 33, 38)

Corrección

Carmen Aranda

Fotografías

Unidad 0 pág. 8 Kota, Maxwo/Fotolia, Antonio Gravante/Dreamstime, Difusión, Production Perig/Fotolia, pág. 9 Suemack/Istockphoto, Wakila/Istockphoto, pág. 11 Riderofthestorm/Dreamstime; **Unidad 1** pág. 12 Diego Cervo/123rf, Speedfighter/Fotolia, Antonia Moya, Yanlev/Fotolia, Lightpoet/Fotolia, Antonia Moya, pág. 13 Raja Rc/Dreamstime, pág. 14 Panpalini/Istockphoto, pág. 18 Tananddda/Fotolia, pág. 20 Virginie Ouanani, pág. 21 Emilio Marill; **Unidad 2** pág. 22 Detele.es, Sportvicious.com, Blognuevofuturo.blogspot.com, Sgwift.com, pág. 25 Letrascolor, Coveralia, Sensacine.com, Dvdnovedades.blogspot.com, pág. 28 Luminis/Istockphoto, pág. 29 José Ramón Pizarro/Photaki; **Unidad 3** pág. 32 M. Vázquez Montalbán/Editorial Planeta, pág. 36 Malaga123.wordpress.com; **Unidad 4** pág. 42 Salud180.com, Zerbor/Fotolia, Umpalumpas/Fotolia, Evgeny Drobzhev/Dreamstime, pág. 43 Difusión, pág. 47 Elektropower/Dreamstimel; **Unidad 5** pág. 51 Saul Tiff, pág. 52 Tr3gi/Dreamstime, Loffit.Abc.es, Pastranec/Flickr, Deux0r/Dreamstime, Loongar/Dreamstime, Olivier Le Queinec/Dreamstime, Valeev Rafael/Dreamstime, pág. 53 Newlight/Dreamstime, Photka/Dreamstime, Serg_Velusceac/Dreamstime, Juan Moyano/Dreamstime, Roman Borodaev/Dreamstime, pág. 58 Mtkang/Dreamstime, Zastavki.com, Casadellibro.com, Cebas1/Dreamstime, Jose Manuel Gelpi Diaz/Dreamstime, Claudio Baldini/Dreamstime, Alexander Potapo/Dreamstime, Taesmileland/Dreamstime, Oleg Gapeenko/Dreamstime, Winai Tepsuttinun/Dreamstime, Margojh/Dreamstime, Hein Teh/Dreamstime, Kmitu/Dreamstime, Kmitu/Dreamstime; **Unidad 6** pág. 62 Fuzzbones/123rf, Dan Race/Fotolia, Shevs/Dreamstime, Iakov Filimonov/Dreamstime, pág. 66 Ismael Tato Rodriguez/Dreamstime, Sfumata/Dreamstime, Juan Moyano/Dreamstime, Ppy2010ha/Dreamstime, Jorge Rodriguez Gaspar/Dreamstime, pág. 67 Ideabug/ Istockphoto, Kreangagirl/Istockphoto, pág. 68 Elcorteingles.es, Coveralia, Mpavlov/Dreamstime, Elcorteingles.es, Aurelio Scetta/Dreamstime, Ovydyborets/Dreamstime, Grishal/Istockphoto, Ramona Smiers/Dreamstime, Bruce Mcintosh/Istockphoto, Pcmag.com, Ss100/Dreamstime, Dmitry Pakhomov/Dreamstime, Ekaterina Kolyzhikhina/Dreamstime, Diana Eller/Dreamstime, Oleg Gapeenko/Dreamstime, Darren Brode/Dreamstime; **Unidad 7** pág. 72 Chiloe_chile_radio_uchile.cl, Fao.org, Animal-Backgrounds.com, Rimisp, 7 72 Onu.org, Anthony Aneese Totah Jr/Dreamstime, pág. 73 Onu.org, pág. 75 Nata_Rass/Dreamstime, pág. 79 Grammy.com/blogs, Cancionero.net; **Unidad 8** pág. 82 Fabiana Ponzi/Dreamstime, David Troitiño, Robert Kneschke/Dreamstime, pág. 83 Saul Tiff, pág. 85 Saul Tiff; **Unidad 9** pág. 90 Paraisocultural.wordpress.com, pág. 92 Cienpies Design Illustrations/Dreamstime, Diego Vito Cervo/Dreamstime, pág. 101 Difusión; **Unidad 10** pág. 102 Radosław Botev/Wikimedia Commons, Martha Silva/Flickr, Renzo Vallejo/Flickr, Renzo Vallejo/Flickr, Vitmark/Dreamstime, Michael Zysman/Dreamstime, pág. 103 Europa Press, John Kasawa/Dreamstime, Valentineroy/Dreamstime, Secretaría de la Nación de la República Argentina, Angelsimon/Istockphoto, Veroxdale/Shutterstock, pág. 106 Digitman2006/Fotolia, Anibal Trejo/Dreamstime, Michela Simoncini/Flickr, Arochau/Fotolia, Anibal Trejo/Dreamstime, pág. 108 Uibk.ac.at, Saul Tiff, Saul Tiff, Pepmiba/Istockphoto. **Cubierta** Kota, excepto: Ingrampublishing/Photaki, Adolfo López/Photaki, IS2/Photaki, Juanjo Zanabria Masaveu/Flickr, Nicolás Zabo Zamorano/Flickr, sodaniechie/Flickr, noticiasusodidactico.com, Wikimedia Commons (Velázquez), Joan Sanz/Difusión (Ernesto Che Guevara), keeweeboy/123Rf, phakimata/123Rf, zurijeta/123Rf, Pablo Gallo (Julio Cortázar), Oswaldo Guayasamín (Mercedes Sosa), agencia de noticias Difusión Perú (Chabuca Granda), Silvana Tapia Tolmos, Séverine Battais, Ignacio Saco, Neus Sans Baulenas, Saul Tiff, Ludovica Colussi, Juan Asensio, Luis Luján, García Ortega, Claudia Zoldan, Edith Moreno, Emilio Marill, Maika Sánchez Fuciños, Virginie Ouanani, Verónica Muñoz, Beatrice Casado, Sergio Troitiño, Difusión

Textos

© Mario Benedetti, *El amor, las mujeres y la vida*. Ed. Alfaguara, 1996 (págs. 90, 91)

Grabación CD

Difusión, Estudios 103, CYO Studios. **Locutores:** José Antonio Benítez Morales (ESPAÑA), Mateo Caballero (FRANCIA), Iñaki Calvo (ESPAÑA), Cristina Carrasco (ESPAÑA), Óscar Cornejo (ESPAÑA), Ludovica Colussi (ITALIA), Silvia Dotti (URUGUAY), Olivia Espejel (MÉXICO), Fabián Fattore (ARGENTINA), Francisco Fernández (CHILE), Luis G. García (PERÚ), Xavier Guitart (ESPAÑA), María José Lavilla (ESPAÑA), Oswaldo López (ESPAÑA), Kathrin-Theresa Madl (AUSTRIA), Bruno Menéndez (ESPAÑA), Carmen Mora (ESPAÑA), Rosa Moyano (ESPAÑA), Núria Murillo (ESPAÑA), Lola Oria (ESPAÑA), María Fernanda Peláez (PERÚ), Larissa Philipp (BRASIL), Albert Prat (ESPAÑA), Arnau Puig (ESPAÑA), Rosa María Rosales Nava (MÉXICO), Amalia Sancho Vinuesa (ESPAÑA), Josefina Simkievich (ARGENTINA), Sergio Troitiño (ESPAÑA), Nuria Villazán (ESPAÑA)
Efectos sonoros: Freesound.org (sascha-burghard, bmoreno, mario1298)

Agradecimientos

Mateo Caballero, Iñaki Calvo, Beatrice Casado Chinarro, Ludovica Colussi, Kathrin-Theresa Madl, Emilio Marill, Carmen Mora, Verónica Muñoz, Lourdes Muñiz, Virginie Ouananie, David Troitiño Blázquez, Maika Sánchez Fuciños

ISBN: 978-84-15640-38-7
Depósito legal: B-19484-2014
Reimpresión: enero 2015
Impreso en España por T. G. Soler

Este Libro de trabajo tiene como finalidad primordial consolidar los conocimientos y las destrezas lingüísticas que se han desarrollado con las actividades del Libro del alumno, del cual es complemento imprescindible. Para ello proporciona ejercicios, en su mayor parte de ejecución individual, centrados en aspectos particulares del sistema lingüístico (fonética, morfosintaxis, vocabulario, ortografía, estructuras funcionales, discursivas y textuales, etc.) que se practican en las actividades del Libro del alumno.

La experiencia de miles de usuarios en las ediciones anteriores y sus valoraciones de este Libro de trabajo como una herramienta tan importante como el Libro del alumno nos han permitido mejorar tanto los contenidos como el diseño gráfico de esta nueva versión de **gente**.

gente
hoy

cómo funciona
gente hoy
Libro de trabajo

PÁGINA DE ENTRADA

Esta página ofrece una visión de conjunto de los ejercicios de la unidad y sus objetivos, así como una actividad para activar el vocabulario que vas a necesitar durante la secuencia de aprendizaje.

"Primeras palabras" es un ejercicio para activar los conocimientos sobre el vocabulario de la unidad.

Aquí se encuentra la lista de todos los ejercicios de la unidad y el principal contenido de aprendizaje de cada uno.

EJERCICIOS

En estas páginas se presentan numerosos ejercicios pensados para ayudarte a practicar los contenidos (gramaticales, léxicos, comunicativos, pragmáticos, etc.) y las habilidades lingüísticas propuestos en el Libro del alumno.

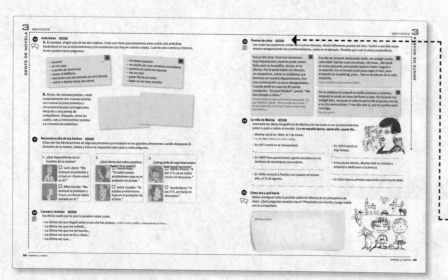

Los ejercicios incorporan un recurso que indica a qué actividades del Libro del alumno complementan.

Cómo trabajar con estas páginas

▶ La mayoría de los ejercicios los puedes realizar de manera individual.

▶ Puedes escoger qué quieres repasar por tu cuenta o en qué aspecto de las propuestas del Libro del alumno quieres profundizar.

Cada unidad cuenta con ejercicios que están pensados para ser realizados en clase, en interacción con otros estudiantes. También puedes adaptarlos para tu aprendizaje individual

▶ Encontrarás ejercicios centrados en el vocabulario donde tendrás que usar tu diccionario, internet o releer algún texto del Libro del alumno.

▶ Algunos ejercicios los puedes hacer en clase con tus compañeros de curso.

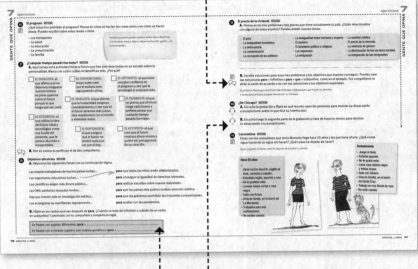

Hay diversas propuestas para que reflexiones sobre el funcionamiento de la lengua y extraigas tu propia regla.

Se incluyen ejercicios con audios para que puedas mejorar tu capacidad de comprender la lengua oral a tu propio ritmo.

AGENDA

La doble página final de la unidad se relaciona con los objetivos del Portfolio europeo de las lenguas (PEL), ya que aborda tanto aspectos estratégicos de la comunicación como de control del aprendizaje.

Cómo trabajar con estas páginas

▶ Sigue los trucos; te ayudarán a aprender más y enfrentarte mejor a las situaciones reales de comunicación.

▶ Ten en cuenta que no solo es importante aprender la lengua, sino también aprender a ser un mejor aprendiz de lenguas.

En esta sección los ejercicios te ayudarán a experimentar y hacer explícitos diversos procesos con el fin de ser más autónomo y aprender mejor el español.

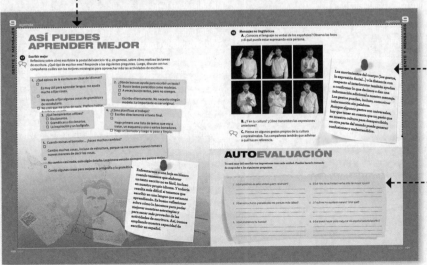

Encontrarás pequeños trucos y estrategias para mejorar tus habilidades de comunicación en español y tu proceso de aprendizaje.

Al final de cada unidad podrás valorar tu progresos, así como tu actitud respecto a las ocasiones de aprendizaje.

0. gente en clase   p. 8

1. **Primeras palabras.** Vocabulario útil para la unidad.
2. **Estudiantes de español.** Razones para aprender español. **Por, porque, para, me interesa/n.**
3. **Perfil, deseos y necesidades.** Necesidades de aprendizaje.
4. **Me cuesta entender.** Expresar dificultades con **me cuesta/n.** Valorar con **me parece/n** + adjetivo
5. **Lo más útil ha sido.** Expresar opiniones con **lo más** + adjetivo.
6. **Se aprende haciendo.** Uso y morfología del gerundio.
7. **Aprender otra lengua.** Opiniones sobre el aprendizaje de lenguas extranjeras.

Agenda

1. gente que se conoce   p. 12

1. **Primeras palabras.** Vocabulario útil para la unidad.
2. **¿Qué harías con ellos?** Situaciones hipotéticas.
3. **Tus famosos.** Situaciones hipotéticas. El condicional.
4. **Iría y saldría.** El condicional: formas irregulares.
5. **Tranquilo y optimista.** El género de los adjetivos.
6. **Un test de personalidad.** Describir la personalidad y el carácter.
7. **¿De qué hablan?** Concordancia en los verbos que funcionan como **gustar.**
8. **Le cae muy mal...** Verbos como **gustar: interesar, preocupar, dar miedo, caer mal...**
9. **Expresa tus emociones.** Reacciones y emociones sobre varios temas.
10. **Coincidir o no coincidir.** El uso de **a mí/yo** y de **también/tampoco.**
11. **Timoteo y Valentín.** Adverbios y cuantificadores para graduar la expresión de sentimientos.
12. **De alegre, alegría.** Nombres derivados de adjetivos.
13. **Virtudes y defectos.** Nombres derivados de adjetivos.
14. **Una persona que conozco.** Describir cualidades y defectos de personas.
15. **Lo que yo cambiaría.** Propuestas para mejorar tu ciudad. El condicional.
16. **Preguntas.** Pronombres interrogativos.
17. **Una entrevista.** Preguntas. Usos de **lo.**
18. **Datos y preguntas.** Preguntar por datos específicos.
19. **Nos gustaría saber más.** Interrogativas indirectas.

Agenda

2. gente que lo pasa bien   p. 22

1. **Primeras palabras.** Vocabulario útil para la unidad
2. **¡No me lo pierdo!** Ocio y espectáculos. Concordancia: pronombres y verbos como **gustar.**
3. **Lo pasé muy bien.** Actividades de ocio y tiempo libre.
4. **Siempre no, solo a veces.** Tu ocio. Expresiones de frecuencia.
5. **Cinco actividades recomendadas.** Reseñas. Estrategias de anticipación de vocabulario en la lectura.
6. **De cine.** Géneros cinematográficos.
7. **Cartelera.** Ficha técnica y sinopsis. Vocabulario para valorar películas.
8. **Para todos los gustos.** Vocabulario para valorar cine.
9. **No me gustó nada.** Expresiones verbales valorativas y su concordancia.
10. **Tus lugares favoritos.** Descripción de lugares de ocio.
11. **Planes.** Modelo de conversación para quedar con otra persona.
12. **¿Quedamos?** Recursos para negociar planes.
13. **Este fin de semana...** Planes de ocio.
14. **Crítica.** Opinión sobre eventos y espectáculos.
15. **Programas de televisión.** Géneros televisivos.
16. **¿Qué sabes de Santiago?** Verbos **ser, estar** y **hay.**
17. **Propuestas.** Elegir propuestas de ocio para diferentes personas.

Agenda

3. gente de novela   p. 32

1. **Primeras palabras.** Vocabulario útil para la unidad.
2. **Sobre la vida de Max Abra.** La biografía. Formas regulares e irregulares del pretérito indefinido.
3. **Estuve viendo la tele.** Contraste entre pretérito indefinido y **estuve** + gerundio.
4. **Perdona, ¿cómo dices?** Recursos para pedir aclaraciones. Pronombres interrogativos.
5. **Declaraciones.** Las formas del pretérito imperfecto.
6. **Cosas del pasado.** Construir frases con indefinido e imperfecto.
7. **Amor a primera vista.** Hechos principales, circunstancias y razones en un relato. Indefinido e imperfecto.
8. **Estaba leyendo cuando...** Historias sorprendentes. Imperfecto, indefinido y **estar** + gerundio.
9. **¿Te acuerdas?** Hechos y circunstancias en tu vida.
10. **Anécdotas.** Imperfecto e indefinido.
11. **Reconstrucción de los hechos.** El pretérito pluscuamperfecto.
12. **Causas y razones.** Describir causas para un hecho. El pluscuamperfecto, imperfecto...
13. **Puntos de vista.** Informar sobre acontecimientos previos. El pluscuamperfecto.
14. **La vida de Marina.** Contrastar datos biográficos con otros acontecimientos. El pluscuamperfecto.
15. **Cómo era y qué hacía.** Describir a una persona y sus hábitos en el pasado. El imperfecto.

Agenda

4. gente sana   p. 42

1. **Primeras palabras.** Vocabulario útil para la unidad.
2. **Sano y saludable.** Combinaciones léxicas con **sano, salud** y sus derivados.
3. **Etiqueta y usos.** El uso del móvil en tu entorno.
4. **Dispositivos móviles.** Encontrar información en un texto.
5. **El experto en salud recomienda...** Problemas de salud y recomendaciones. Imperativo afirmativo y negativo.
6. **El cuerpo.** Partes del cuerpo y salud.
7. **Mueve la cabeza.** Partes del cuerpo y movimientos.
8. **Pacientes.** Problemas de salud.
9. **Enfermo en otro país.** Vocabulario para hablar de síntomas, enfermedades y tratamientos.
10. **Le pican los ojos.** Combinaciones léxicas para hablar de síntomas y enfermedades.
11. **Síntomas.** Síntomas asociados a problemas de salud frecuentes.
12. **Me cuesta mucho dormir.** Expresar problemas de salud. Recursos para dar consejos.
13. **Accidentes domésticos.** Campaña de prevención de riesgos. Imperativo y posición de los pronombres.
14. **Me dirijo a su periódico para...** Carta al director. Conectores. Adverbios en -mente.
15. **Productos "mágicos".** Texto informativo sobre remedios caseros.

Agenda

5. gente y cosas   p. 52

1. **Primeras palabras.** Vocabulario útil para la unidad .
2. **Hábitos de lectura.** Obtener información de una encuesta. Géneros literarios y publicaciones escritas.
3. **Fotografías.** Ventajas y desventajas del formato digital.
4. **Plástico.** Buscar y parafrasear información de un texto.
5. **Yo estudie, tú estudies.** El presente de subjuntivo.
6. **Busco a alguien que...** Contraste entre indicativo y subjuntivo en frases relativas.
7. **¿Cómo funciona?** Tipos de preguntas.
8. **Mi primera bicicleta.** Uso de los pronombres átonos.
9. **Mis objetos preferidos.** Uso de los pronombres átonos.
10. **A ella la he visto, a él no.** Uso de los pronombres de objeto directo: orden y presencia/ausencia.
11. **Se lo ha regalado Ernesto.** Uso de los pronombres átonos: combinación de OD y OI.
12. **Cosas de casa.** Describir objetos. Pronombres relativos con preposición.
13. **¿De qué cosa hablan?** Detectar información fijándose en la concordancia.
14. **¿De qué está hecho?** Describir objetos: material, uso...
15. **Algo que sea reciclado.** Uso del presente de subjuntivo en frases relativas.
16. **A una isla desierta me llevaría...** Hablar de situaciones hipotéticas en condicional.
17. **Cosas a tu alrededor.** Localizar objetos en función del material del que están hechos.
18. **Se fabrica y se exporta.** Dar información sobre materiales y productos. Impersonalidad con **se.**
19. **¿Qué es?** Adivinanzas.

Agenda

6. gente con ideas
p. 62

1. **Primeras palabras.** Vocabulario útil para la unidad.
2. **Anuncios radiofónicos.** Relacionar fragmentos de tres anuncios radiofónicos.
3. **Hablaré y sabrás.** Formas regulares e irregulares del futuro de indicativo.
4. **Ayuda profesional.** Vocabulario relacionado con las profesiones y sus actividades.
5. **Un día accidentado.** Organizar un relato sobre accidentes domésticos.
6. **Se me pinchó una rueda.** Contar anécdotas sobre problemas y accidentes. **Se me** para expresar involuntariedad.
7. **¿A quién tienen que llamar?** Problemas y los servicios profesionales correspondientes. Anuncios.
8. **Quiero ir a la moda. Querer** + infinitivo/subjuntivo.
9. **DOMO-BOT.** Tareas domésticas. **Querer** + infinitivo/subjuntivo.
10. **Negocios originales.** Empresas y servicios novedosos. Eslóganes. Futuro de indicativo.
11. **Mi experiencia como cliente.** Descripción de tus establecimientos habituales de antes y de ahora.
12. **De reparto.** Pronombres de OD: **lo, la, los, las.**
13. **Regalos para todos.** Pronombres de OD y de OI.
14. **La donación.** Pronombres de OD y de OI.
15. **Reformas en la oficina.** Recursos para dejar que otros decidan: **cuando/donde/a quien...** + subjuntivo.
16. **Distintos países, distintas costumbres. Todo el mundo, la mayoría, mucha gente...**
Agenda

7. gente que opina
p. 72

1. **Primeras palabras.** Vocabulario útil para la unidad.
2. **Objetivos para el siglo xxi.** Vocabulario relacionado con el desarrollo.
3. **Problemas de nuestro siglo.** Relacionar información.
4. **Desde luego.** Recursos para mostrar acuerdo, duda, escepticismo o rechazo.
5. **¿Desaparecerán las epidemias?** Previsiones en futuro de indicativo. Especular: **yo (no) creo que y quizás.**
6. **El progreso.** Antes y ahora: imperfecto y presente de indicativo.
7. **¿Cualquier tiempo pasado fue mejor?** Actitudes sobre el futuro.
8. **Objetivos altruistas. Para** + infinitivo/subjuntivo.
9. **El precio de la vivienda.** Comentar problemas y proponer soluciones. **Para** + infinitivo/subjuntivo.
10. **¿De Chicago?** Recursos entonativos para expresar desacuerdo o escepticismo.
11. **Costumbres.** Comparar costumbres del pasado y del presente. **Seguir** + gerundio y **dejar de** + infinitivo.
12. **Continuidad.** Conectores discursivos.
13. **No creo que me case.** Recursos para expresar grados de probabilidad. Marcadores temporales de futuro. **Cuando** + subjuntivo.
14. **Política local.** Medidas para mejorar la vida en una ciudad.
15. **Partidos políticos.** Realidad política de España y Latinoamérica.
16. **Canción protesta.** Buscar información sobre canciones de este género.
Agenda

8. gente con carácter
p. 82

1. **Primeras palabras.** Vocabulario útil para la unidad.
2. **Yo conozco a alguien así.** Descripción del carácter.
3. **¿Qué le pasa?** Estados de ánimo. **Estar** + adjetivo/grupo nominal.
4. **¿Eres celoso?** Descripción del carácter y de estados de ánimo. Combinaciones léxicas con **estar y tener.**
5. **Es un poco despistado.** Uso de **poco/un poco** + adjetivo.
6. **La felicidad es...** Frases célebres, refranes, etc. sobre diferentes temas.
7. **Flechazo.** Relacionar palabras con sus definiciones.
8. **Tiene razón.** Relacionar textos con opiniones. Expresar la propia opinión.
9. **Problemas de relación.** Historias sobre relaciones personales. Adjetivos para describir el carácter.
10. **En la primera cita.** Dar consejos. **Es** + adjetivo + infinitivo/subjuntivo.
11. **Para tener éxito.** Dar consejos. **Es** + adjetivo + infinitivo/subjuntivo.
12. **Cómo acaba.** Relacionar opiniones con sus finales. Recursos para valorar.
13. **La convivencia no es fácil.** Recursos para describir relaciones entre personas y expresar sentimientos.
14. **Lo que tienes que hacer.** Recursos para aconsejar con infinitivo y subjuntivo.
Agenda

9. gente y mensajes
p. 92

1. **Primeras palabras.** Vocabulario útil para la unidad.
2. **¿Te lo dice o te lo pide?** Detectar la intención del hablante.
3. **Día de examen.** Expresiones para aconsejar, prohibir, prometer...
4. **Mensajes para Nacho.** Resumir el contenido de una serie de mensajes. Estilo indirecto.
5. **Redes sociales: ¿buen o mal uso?** Expresar la opinión personal. Usos de internet.
6. **Dos correos electrónicos.** Resumir el contenido de dos correos electrónicos.
7. **En la oficina.** Recursos para hacer peticiones.
8. **Perdone, ¿podría...?** Recursos para hacer peticiones.
9. **¿Me dejas el tuyo?** Recursos para hacer peticiones y justificar. Formas tónicas de los posesivos.
10. **En mi país y en el tuyo.** Formas tónicas de los posesivos.
11. **¿Puedo cerrar la ventana?** Recursos para pedir y dar permiso.
12. **Mensajes para tu compañero de piso.** Transmitir mensajes. Estilo indirecto.
13. **Lo que me han dicho hoy.** Transmitir mensajes. Estilo indirecto.
14. **Palabras literales.** Reconstruir mensajes a partir del estilo indirecto.
15. **Sin palabras.** Transmitir peticiones.
16. **La postal.** Reconstruir el contenido de una postal.
Agenda

10. gente que sabe
p. 102

1. **Primeras palabras.** Vocabulario útil para la unidad.
2. **Imágenes de un país.** Relacionar imágenes representativas de un país.
3. **Datos.** Elementos representativos de varios países hispanos.
4. **En el restaurante.** Recursos para aclarar dudas sobre la carta de un restaurante.
5. **Tenemos problemas muy importantes.** Problemas de diferentes países hispanos.
6. **¿Qué sabes de...?** Preparar una presentación sobre un país de habla hispana.
7. **No creo que sea cierto.** Expresiones con indicativo y subjuntivo. El imperfecto para reaccionar ante una información.
8. **Palabras de aquí y de allá.** Sensibilización sobre variedades del español.
9. **Mi lugar de origen.** Preparar una presentación sobre tu país, tu región o tu ciudad.
10. **Estudiar español en México.** Buscar información específica en un texto.
11. **En el D. F.** Elaborar preguntas. Datos y cifras sobre la capital mexicana.
12. **Besos para todos.** Responder a dos mensajes.
13. **¿Qué dices tú?** Seleccionar la reacción más adecuada a una serie de preguntas.
14. **Me voy a Canadá.** Detectar errores en las intervenciones de los compañeros.
15. **Me gustaría conocerte mejor.** Elaborar un cuestionario y hacer una entrevista.
Agenda

gente en
clase

1. **Primeras palabras.** Vocabulario útil para la unidad.
2. **Estudiantes de español.** Razones para aprender español. **Por, porque, para, me interesa/n.**
3. **Perfil, deseos y necesidades.** Necesidades de aprendizaje.
4. **Me cuesta entender.** Expresar dificultades con **me cuesta/n.** Valorar con **me parece/n** + adjetivo
5. **Lo más útil ha sido.** Expresar opiniones con **lo más** + adjetivo.
6. **Se aprende haciendo.** Uso y morfología del gerundio.
7. **Aprender otra lengua.** Opiniones sobre el aprendizaje de lenguas extranjeras.

Agenda

1 **Primeras palabras**

A. Aquí tienes algunas expresiones útiles para tu aprendizaje y para la clase de español. ¿Las conoces? Relaciónalas con las imágenes.

hacer gestos ....   buscar palabras ....   saludar ....   despedirse ....
de habla española ....   traducir ....   entender ....   escuchar ....
reglas ....   conversación ....   tomar la palabra ....   en voz alta ....
significado ....   perfeccionar ....   consultar el diccionario ....

B. ¿Conoces otras palabras en español que puedan ser útiles para esta unidad? Escríbelas en tu cuaderno.

2 **Estudiantes de español** `LA 2`

01

Vas a escuchar a tres estudiantes que nos cuentan sus razones para aprender español. Completa una tabla como esta en tu cuaderno.

	¿Por qué el español?	¿Qué le interesa?	¿Para qué?
Kathrin			
Mateo			
Francesca			

3 **Perfil, deseos y necesidades** `LA 2`

A. ¿Con cuál de estos tres estudiantes te identificas más? Subraya todo lo que tengas en común con ellos.

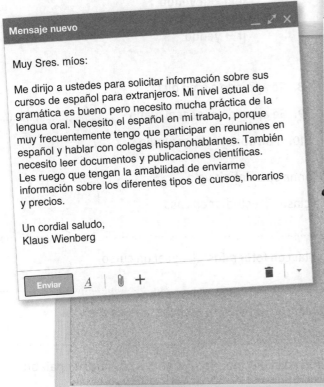

Mensaje nuevo

Muy Sres. míos:

Me dirijo a ustedes para solicitar información sobre sus cursos de español para extranjeros. Mi nivel actual de gramática es bueno pero necesito mucha práctica de la lengua oral. Necesito el español en mi trabajo, porque muy frecuentemente tengo que participar en reuniones en español y hablar con colegas hispanohablantes. También necesito leer documentos y publicaciones científicas. Les ruego que tengan la amabilidad de enviarme información sobre los diferentes tipos de cursos, horarios y precios.

Un cordial saludo,
Klaus Wienberg

Enviar

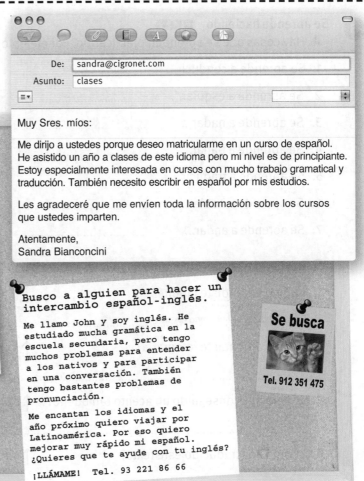

De: sandra@cigronet.com
Asunto: clases

Muy Sres. míos:

Me dirijo a ustedes porque deseo matricularme en un curso de español. He asistido un año a clases de este idioma pero mi nivel es de principiante. Estoy especialmente interesada en cursos con mucho trabajo gramatical y traducción. También necesito escribir en español por mis estudios.

Les agradeceré que me envíen toda la información sobre los cursos que ustedes imparten.

Atentamente,
Sandra Bianconcini

Busco a alguien para hacer un intercambio español-inglés.

Me llamo John y soy inglés. He estudiado mucha gramática en la escuela secundaria, pero tengo muchos problemas para entender a los nativos y para participar en una conversación. También tengo bastantes problemas de pronunciación.

Me encantan los idiomas y el año próximo quiero viajar por Latinoamérica. Por eso quiero mejorar muy rápido mi español. ¿Quieres que te ayude con tu inglés?

¡LLÁMAME! Tel. 93 221 86 66

Se busca
Tel. 912 351 475

 B. Ahora, en tu cuaderno, trata de escribir un texto similar con tu perfil, deseos y necesidades.

4 **Me cuesta entender** `LA 3`

 A. Kathrin, Mateo y Francesca nos hablan ahora de lo que les cuesta y de lo que les parece fácil, difícil, interesante, divertido, etc. Escucha lo que dicen y completa las siguientes frases.

02

1. A Kathrin le cuesta .... Y no le cuesta nada ....

2. A Mateo le cuesta .... Algunas palabras no le .... bien. Por eso le parecen muy

.... los .... Le parece .... y muy útil ....

3. A Francesca le cuesta .... bien. Le cuestan

.... al final de las palabras.

B. Escucha de nuevo. ¿En qué cosas coincides con ellos y en cuáles no?

● A mí también me cuesta un poco..., pero no me cuesta nada...
○ Pues a mí me parece aburrido...

(no) me parece/n	(nada) bastante demasiado muy	(in)útil/es. aburrido/a/os/as. difícil/es. interesante/s. (in)necesario/a/os/as. fácil/es. importante/s. divertido/a/os/as. complicado/a/os/as.

5 **Lo más útil ha sido** `LA 3`

 Valora las clases de español que has tenido hasta ahora con las siguientes expresiones.

Lo más útil...   Lo más aburrido...   Lo más difícil...   Lo más interesante...   Lo más divertido...

GENTE EN CLASE

6 Se aprende haciendo LA 2

A. Hay cosas que se aprenden practicando. Por ejemplo...

1. Se aprende a conducir... ....conduciendo....

2. Se aprende a esquiar... ....

3. Se aprende a nadar... ....

4. Se aprende a bailar... ....

5. Se aprende a traducir... ....

6. Se aprende a hablar... ....

7. Se aprende a andar... ....

8. Se aprende a ir en bici... ....

9. Se aprende a tocar el piano ....

10. Y se aprende el gerundio... ....

> decir → diciendo
> dormir → durmiendo
> leer → leyendo
> oír → oyendo
> ir → yendo

B. Responde a estas preguntas usando el gerundio o la forma **sin** + infinitivo.

1. ¿Cómo aprendiste japonés? ↓ ir a clase ↑ estudiar en casa

   Sin ir a clase, estudiando en casa.

2. ¿Cómo aprendiste fotografía? ↑ hablar con fotógrafos ↓ hacer un curso

3. ¿Cómo has conseguido un acento tan bueno? ↑ hablar con nativos ↑ escuchar canciones

4. ¿Cómo has traducido este texto? ↑ mirar en el diccionario ↓ traducir palabra por palabra

5. ¿Cómo aprendiste a tocar la guitarra? ↓ estudiar solfeo ↑ tocar de oído

C. ¿Y tú? En tu cuaderno, crea ejemplos como los anteriores según tu propia experiencia.

7 Aprender otra lengua LA 4

Lee estas opiniones sobre el aprendizaje de lenguas y marca (✓) cuál sería tu reacción.
Después, en grupos, intentad poneros de acuerdo.

1. Es muy importante aprender bien la gramática de una lengua. Sin la gramática no puedes hablar.

   ☐ Estoy completamente de acuerdo.
   ☐ Bueno, creo que es verdad, pero la gramática no es lo único importante.
   ☐ Me parece que no tiene razón. Puedes aprender a hablar sin gramática, como los niños.

2. El profesor tiene que corregir todos los errores que hago hablando.

   ☐ Es verdad. Si no me corrigen todos los errores, los repito y no aprendo.
   ☐ A veces sí, pero no siempre. Solo cuando es necesario.
   ☐ No estoy de acuerdo en absoluto: si me corrigen mucho pienso que hablo mal, y entonces me callo.

3. Para practicar en clase, lo más importante es hablar y hablar.

   ☐ Totalmente cierto. Hablar en parejas, en grupos o con el profesor.
   ☐ Hablar y escribir. Las dos cosas son igual de importantes.
   ☐ No, qué va. Lo más útil es hacer ejercicios de verbos, concordancia, etc.

4. Si el profesor sabe mi idioma, me puede ayudar mucho mejor.

   ☐ Sí, es verdad, estoy de acuerdo.
   ☐ A veces sí, para traducir una palabra o explicar cosas; pero, en general, no es imprescindible.
   ☐ ¿Mi idioma? ¿Para qué? Esto es una clase de español, ¿no?

ASÍ PUEDES APRENDER MEJOR

8 **Las palabras y las cosas** LA 4

A. ¿Qué te sugieren las palabras **pan, desayuno** y **vino**? Escribe en tu cuaderno las primeras palabras que te vienen a la mente al pensar en cada una de las tres.

B. Ahora, escucha a varios hispanohablantes y compara sus respuestas con las tuyas.

03

C. ¿Qué te sugieren estas cinco palabras?

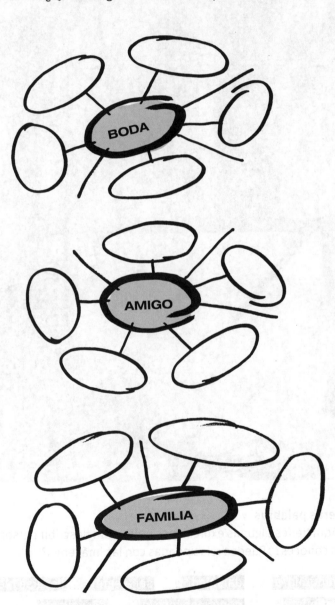

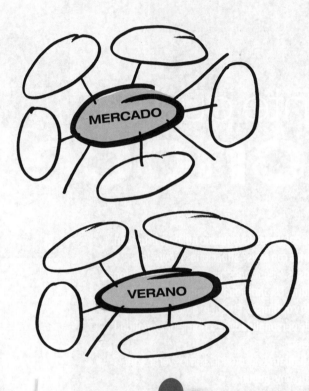

D. Compara tus resultados con los de uno o varios compañeros. ¿Coincidís mucho? ¿Qué conclusiones podéis sacar sobre la cultura y el significado de las palabras?

Cuando un español dice "pan" no dice exactamente lo mismo que un alemán cuando dice "Brot" o que un francés cuando dice "pain". Cada sociedad da a las cosas valores diferentes, las utiliza de modos y en situaciones distintas. Por eso, las palabras con las que nos referimos a las cosas están llenas de connotaciones culturales. Consecuentemente, las equivalencias y las descripciones de las palabras que nos dan los diccionarios son útiles, pero a veces insuficientes: para poder decir que "hemos aprendido" una palabra, además de saber cómo y cuándo se usa, debemos poder reconocer sus referencias culturales.

1

gente que se conoce

1. **Primeras palabras.** Vocabulario útil para la unidad.
2. **¿Qué harías con ellos?** Situaciones hipotéticas.
3. **Tus famosos.** Situaciones hipotéticas. El condicional.
4. **Iría y saldría.** El condicional: formas irregulares.
5. **Tranquilo y optimista.** El género de los adjetivos.
6. **Un test de personalidad.** Describir la personalidad y el carácter.
7. **¿De qué hablan?** Concordancia en los verbos que funcionan como **gustar.**
8. **Le cae muy mal...** Verbos como **gustar: interesar, preocupar, dar miedo, caer mal...**
9. **Expresa tus emociones.** Reacciones y emociones sobre varios temas.
10. **Coincidir o no coincidir.** El uso de **a mí/yo** y de **también/tampoco.**
11. **Timoteo y Valentín.** Adverbios y cuantificadores para graduar la expresión de sentimientos.
12. **De alegre, alegría.** Nombres derivados de adjetivos.
13. **Virtudes y defectos.** Nombres derivados de adjetivos.
14. **Una persona que conozco.** Describir cualidades y defectos de personas.
15. **Lo que yo cambiaría.** Propuestas para mejorar tu ciudad. El condicional.
16. **Preguntas.** Pronombres interrogativos.
17. **Una entrevista.** Preguntas. Usos de **lo.**
18. **Datos y preguntas.** Preguntar por datos específicos.
19. **Nos gustaría saber más.** Interrogativas indirectas.
Agenda

1 Primeras palabras

A. Aquí tienes algunas expresiones útiles para describir personas. ¿Las conoces? ¿Puedes relacionarlas con las imágenes?

ser tranquilo/a ......   dar miedo ......   ser alegre ......   llevarse bien ......

ser optimista ....   poner nervioso/a ....   ser valiente ......

ser tímido/a ......   ser tierno/a ......   ser generoso/a ....   odiar ......

B. ¿Conoces otras palabras que puedan ser útiles para describir personas? Escríbelas en tu cuaderno.

2 **¿Qué harías con ellos?** LA 1

A. ¿Sabes quiénes son estos famosos? Vas a escuchar a cinco personas que cuentan lo que les gustaría hacer con ellos. Completa el cuadro.

04

Ricky Martin
Isabel Allende
Enrique Iglesias
Eva Mendes
Joaquin Phoenix
Gael García Bernal

	¿Qué haría?	¿Con quién?	¿Por qué?
1.			
2.			
3.			
4.			
5.			

B. ¿Y a ti qué te gustaría hacer con ellos? ¿Coincides con las personas que has oído?

A mí también me encantaría subir a un escenario con Ricky Martin y bailar y cantar con él.

3 **Tus famosos** LA 1

A. Piensa en ocho personas famosas y escribe sus nombres. ¿Con cuál de ellos harías las siguientes cosas? ¿Con cuál no? Explica por qué.

FAMOSOS

1. ....
2. ....
3. ....
4. ....

5. ....
6. ....
7. ....
8. ....

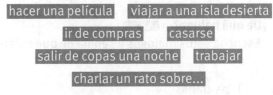

hacer una película   viajar a una isla desierta
ir de compras   casarse
salir de copas una noche   trabajar
charlar un rato sobre...

 B. Hazle ahora las mismas preguntas a un compañero. Después cuenta a la clase lo que más te ha sorprendido de sus respuestas.

4 **Iría y saldría** LA 1

De los verbos que has usado en los ejercicios 2 y 3, unos son regulares y otros, irregulares. Clasifícalos en tu cuaderno y añade dos más a cada grupo.

regulares		irregulares	
infinitivo	condicional	infinitivo	condicional

5 **Tranquilo y optimista** LA 2

A. Escribe la terminación que corresponda a cada adjetivo.

nervios...   pesimist...   sociabl...   insegur...   miedos...   educad...

tranquil...   valient...   segur...   optimist...   conservad...   complicad...

progresist...   maleducad...   egoíst...   generos...   avar...   tiern...

-o/a
-e
-a
-or/ora

B. Ahora marca cuáles te parecen positivos (+) y cuáles, negativos (–).

GENTE QUE SE CONOCE

6 **Un test de personalidad** LA 2

A. ¿Cuál es tu animal preferido? Escribe las características que te han hecho elegirlo. ¿Y tu segundo animal preferido? ¿Y el tercero? Después consulta los resultados. ¿Estás de acuerdo?

TEST DE PERSONALIDAD

Animal 1:..

porque...

....

Animal 2:..

porque...

....

Animal 3:..

porque...

....

RESULTADOS

Animal 3: Cómo eres en realidad.

Animal 2: Cómo te ven los demás.

Animal 1: Cómo te gustaría ser.

¿Sabías que cada animal tiene un significado diferente?

B. En parejas, comentad el resultado de vuestros tests.

7 **¿De qué hablan?** LA 3

Escucha estos diálogos y señala de qué están hablando (✓).

05

1.
- [ ] las arañas
- [ ] una película

2.
- [ ] un examen
- [ ] los atascos de tráfico

3.
- [ ] una persona
- [ ] un libro

4.
- [ ] limpiar la casa
- [ ] los ordenadores

5.
- [ ] unos niños
- [ ] un programa de televisión

6.
- [ ] las novelas policíacas
- [ ] la política

8 **Le cae muy mal...** LA 3

A. Escribe en tu cuaderno al menos seis frases usando un elemento de cada columna.

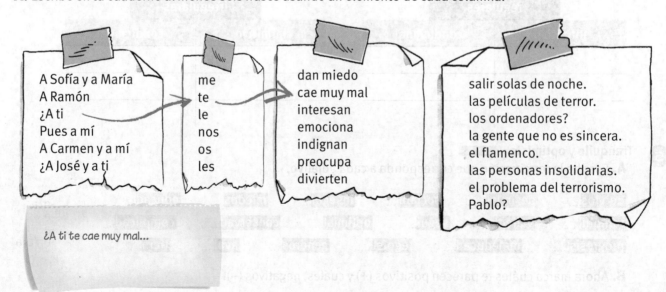

A Sofía y a María A Ramón ¿A ti Pues a mí A Carmen y a mí ¿A José y a ti	me te le nos os les	dan miedo cae muy mal interesan emociona indignan preocupa divierten	salir solas de noche. las películas de terror. los ordenadores? la gente que no es sincera. el flamenco. las personas insolidarias. el problema del terrorismo. Pablo?

¿A ti te cae muy mal...

B. Ahora escribe frases sobre ti o sobre personas que conoces. Estas imágenes te sugerirán más temas.

9 **Expresa tus emociones** `LA 3`

Elige un elemento de la lista y piensa cuál de las siguientes emociones te provoca. Exprésalo con mímica y gestos. Tus compañeros tienen que adivinar qué es y formular una frase correcta.

`dar risa` `dar pena` `poner nervioso` `encantar` `indignar` `molestar` `no soportar` `divertir` `odiar` `emocionar` `preocupar` `dar igual` `caer bien/mal`

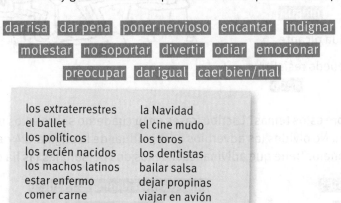

los extraterrestres	la Navidad
el ballet	el cine mudo
los políticos	los toros
los recién nacidos	los dentistas
los machos latinos	bailar salsa
estar enfermo	dejar propinas
comer carne	viajar en avión
la telebasura	...

● ¿Te encanta el ballet?

10 **Coincidir o no coincidir** `LA 4`

 A. Escucha estas frases. ¿Cuál de las dos respuestas es posible en cada caso? Márcalo (✓).

06

1.
☐ A mí también.
☐ Yo también.

2.
☐ A mí sí, no es tan horrible.
☐ Yo tampoco, es horrible.

3.
☐ Yo tampoco, me cae muy mal.
☐ Yo también: es muy agradable.

4.
☐ Pues a mí me encantan.
☐ Yo no, son muy pesadas.

5.
☐ Yo sí, cuando llueve.
☐ A mí no. Además no hay tráfico.

6.
☐ A mí también. Es el mejor.
☐ A mí tampoco. ¡Es previsible!

 B. ¿Cómo reaccionarías a estas opiniones? Usa la respuesta adecuada (**a-h**).

07

1. ☐   3. ☐

2. ☐   4. ☐

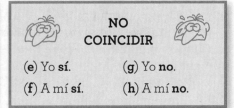

COINCIDIR	
(a) Yo **también**.	(c) Yo **tampoco**.
(b) A mí **también**.	(d) A mí **tampoco**.

NO COINCIDIR	
(e) Yo **sí**.	(g) Yo **no**.
(f) A mí **sí**.	(h) A mí **no**.

11 Timoteo y Valentín LA 4

A. Timoteo y Valentín son muy diferentes. Timoteo es muy tímido, asustadizo y tierno. En cambio, Valentín es valiente, atrevido y aventurero. Lee las siguientes conversaciones y completa con las formas más adecuadas.

TIMOTEO: A mí salir solo de noche me da mucho miedo.
VALENTÍN: Pues a mí no me da nada de miedo.

> mucho   nada de   un poco de

VALENTÍN: A mí no me molesta .... hablar en público.

TIMOTEO: Pues a mí me da .... vergüenza.

> bastante   nada   un poco

TIMOTEO: Me pone muy .... esquiar. Me parece peligroso.

VALENTÍN: Pues a mí me encanta .... Es muy divertido.

> mucho   nervioso   Ø

VALENTÍN: No me dan .... miedo las películas de zombis.

TIMOTEO: Pues a mí me dan .... asco, no las soporto.

> bastante   ninguna   ningún

TIMOTEO: A mí no me gusta .... la comida picante.

VALENTÍN: Pues a mí me gusta .... No puedo resistirme.

> demasiado   un poco   nada

TIMOTEO

VALENTÍN

B. ¿Qué crees que dirían Valentín y Timoteo sobre estos temas? Escribe frases en tu cuaderno sobre estos temas, unas veces como Timoteo y otras como Valentín. No olvides los adverbios para graduar de la página 124 del Libro del alumno. Después lee tus frases a un compañero. Tiene que adivinar cuál de los dos personajes las ha dicho.

> la montaña rusa y los parques de atracciones
> ir al dentista   viajar solo
> saltar en paracaídas y hacer parapente

> hablar en un idioma extranjero
> ir a un karaoke
> las serpientes y los reptiles

12 De alegre, alegría LA 5

Fíjate en los ejemplos y encuentra los adjetivos correspondientes a los sustantivos, y viceversa.

alegre	la alegría	....	la bondad	pedante	la pedantería	sincero/a	....
....	el egoísmo	....	la belleza	hipócrita	....	fiel	....
....	la honestidad	....	la estupidez	superficial	....	tierno/a	....
....	la inteligencia	....	la seriedad	generoso/a	....	dulce	....

13 Virtudes y defectos LA 5

¿Cuáles son tus tres principales virtudes? ¿Y tus tres peores defectos? Escríbelos.

VIRTUDES
La sinceridad: soy bastante sincero.

DEFECTOS
La timidez: soy un poco tímido.

14 Una persona que conozco `LA 5`

A. Describe brevemente por escrito a una persona de tu entorno: un miembro de tu familia, un amigo, un compañero de trabajo... Piensa en sus cualidades y en sus defectos.

> Mi amigo Andrés tiene cosas buenas y cosas no tan buenas. Su principal cualidad es...

B. El profesor recogerá las descripciones y las repartirá entre los miembros de la clase. ¿Te irías de viaje con la persona que te ha tocado? ¿Te llevarías bien con ella? ¿Por qué? Coméntalo con tus compañeros.

15 Lo que yo cambiaría `LA 6`

¿Qué problemas tiene la ciudad en la que vives? Escribe ocho cosas que cambiarías para convertirla en una ciudad mejor. Usa el condicional.

> Mejoraría el sistema de transportes.

1. ....
2. ....
3. ....
4. ....

5. ....
6. ....
7. ....
8. ....

16 Preguntas `LA 7`

A. ¿A qué tipo de pregunta corresponde cada respuesta?

a. ¿Qué...? b. ¿Cuál...? c. ¿Con quién...? d. ¿Desde dónde...? e. ¿Por qué...? f. ¿Desde cuándo...?

☐ 1. Porque quiero aprender.
☐ 2. Desde hace dos horas.
☐ 3. Una cerveza.
☐ 4. La roja, por favor.
☐ 5. Con un amigo, creo.
☐ 6. Desde por la mañana.
☐ 7. Por amor.

☐ 8. Desde una gasolinera.
☐ 9. Desde aquí, ¿no?
☐ 10. Con Luis y Cristina.
☐ 11. La que a ti no te gusta.
☐ 12. Porque no lo sé.
☐ 13. Desde esta ventana.
☐ 14. Ese de

☐ 15. Pues ya hará dos años.
☐ 16. Creo que con nadie.
☐ 17. Desde hoy mismo.
☐ 18. Un café, gracias.
☐ 19. El mismo que tú.
☐ 20. Porque me gusta más.
☐ 21. Unos zapatos rojos.

B. Ahora haz tú una pregunta para cada una de estas respuestas.

1. ¿...?

Pues la verdad es que me gustan todos los tipos

de cine.

2. ¿...?

Con mis padres, ¿y tú?

3. ¿...?

A las diez o diez y media, depende.

4. ¿...?

Desde que tengo 23 años.

5. ¿...?

El verde de cuadros no está mal.

6. ¿...?

Creo que de la plaza Mayor.

17 Una entrevista `LA 7`

A. En esta entrevista con la actriz Candela Monte se han perdido algunas preguntas. ¿Puedes escribirlas?

Gente Actual

Candela **Monte**

La actriz vuelve a estar de actualidad por un doble motivo: por su nueva película, *Rosas de mayo*, y por su reciente separación del futbolista Mario Ramos. El pasado sábado la actriz nos concedió una entrevista en el Hotel Lux en la que se mostró tranquila y relajada para hablar sobre varios aspectos de su profesión y sobre ella misma, pero poco dispuesta a dar detalles sobre su vida sentimental.

GA Candela, según tu larga experiencia como actriz, ¿qué es lo más importante en tu profesión?

CM ¿**Lo más** importante en mi profesión? Pues trabajar mucho, no desanimarse y luchar...

GA ....

...

CM Pues este verano hago una película en México y, si puedo, **lo que** quiero hacer es irme unos días de vacaciones a algún lugar tranquilo.

GA ....

...

CM A los quince años, en una obra de teatro en la escuela.

GA ....

...

CM Con muchos: por ejemplo, con Alfonso Cuarón; he visto su última película y me ha parecido muy buena.

GA Candela, ¿qué es lo que más te gusta en la vida? ¿Actuar?

CM Bueno, sí. Pero hay otras muchas cosas que me gustan, como estar con mis amigos, con mi familia. Pero para mí **lo mejor** es viajar y conocer nuevos lugares.

GA Y ¿qué es lo peor de ser una actriz famosa?

CM Supongo que no tener vida privada... Sí, eso es **lo peor** sin duda.

GA ....

...

CM Es difícil contestar a esa pregunta. Supongo que lo haría, pero no lo sé.

GA ....

...

CM El verde. Siempre me ha gustado mucho ese color.

GA Ya sabemos que no te gusta mucho hablar de tu vida privada, pero ¿ ....?

CM Lo siento, pero a esa pregunta prefiero no contestar.

B. Observa cómo funcionan en el texto las expresiones con **lo**. Después traduce a tu lengua (o a otras que conoces) estas otras frases de Candela.

1. En mi profesión **lo más importante es** trabajar mucho, no desanimarse y luchar.

   ....

2. Este verano **lo que quiero hacer es** irme unos días de vacaciones a algún lugar tranquilo.

   ....

3. **Lo peor de** ser famoso es no tener vida privada.

   ....

4. **Lo que más me gusta en la vida es** viajar y conocer nuevos lugares.

   ....

C. Completa las frases siguientes sobre ti.

Lo que más me gusta en la vida es/son ....

Lo que quiero hacer en el futuro es ....

 D. Prepara una pequeña entrevista a alguna persona de tu entorno (un familiar, amigo o conocido) sobre sus gustos, intereses y preocupaciones. Para la entrevista puedes usar tu lengua. Luego escribe un pequeño texto como el de Candela Monte.

18 **Datos y preguntas** `LA 7`

Aquí tienes dos versiones de la biografía de una actriz española. En cada una de las versiones hay datos que faltan en la otra. Tú vas a leer una versión y tu compañero, la otra. Después tenéis que haceros las preguntas necesarias para completar toda la información.

A

Nació en Burgos, en el año .... Debutó en el teatro con 16 años en Madrid. En 1980 hizo su primera película con ...., titulada *Los amantes del Viaducto,* y recibió en .... el premio a la mejor actriz revelación. Después interpretó el papel principal de muchas películas entre las que destacan *Romance en Barcelona* y *Viaje al sur*. Durante el rodaje de esta última conoció al actor Lolo Mas, con quien se casó en 1988. Pero dos años después .... Desde entonces fueron numerosos los romances en su vida, el más destacado, sin duda, con el torero Ignacio Montes. En 2000, yendo con el torero en coche hacia San Sebastián, la policía detuvo a ambos por .... Pasó seis meses en la cárcel, donde escribió .... Hoy es una de las actrices más reputadas de nuestro país y desde 2007 vive en ....

B

Nació en ...., en el año 1960. Debutó en el teatro con .... años en Madrid. En 1980 hizo su primera película con Javier Odriolaza, titulada ...., y recibió en el festival de Cannes el premio a la mejor actriz revelación. Después interpretó el papel principal de muchas películas entre las que destacan *Romance en Barcelona* y *Viaje al sur*. Durante el rodaje de esta última conoció a ...., con quien se casó en 1988. Pero dos años después se divorciaron. Desde entonces fueron numerosos los romances en su vida, el más destacado, sin duda, con .... En 2000, yendo con el torero en coche hacia San Sebastián, la policía detuvo a ambos por posesión de cocaína. Pasó .... meses en la cárcel, donde escribió sus memorias. Hoy es una de las actrices más reputadas de nuestro país y desde .... vive en Marbella.

19 **Nos gustaría saber más** `LA 7`

 Piensa en ocho cosas que te gustaría saber sobre la infancia de tus compañeros de clase. Escríbelo.

Me gustaría saber si Andy de pequeño sacaba buenas notas.

ASÍ PUEDES APRENDER MEJOR

 Escuchar para aprender

A. Imagina que una editorial de libros de idiomas quiere conocer tu opinión sobre las grabaciones que incluyen en sus libros. Lee la encuesta, completa las opciones y justifica tu opinión.

	Tu opinión	Comentarios
Una audición es...	☐ una prueba de comprensión. ☐ un entrenamiento para comunicarte mejor.	
Antes de escucharla...	☐ no hay que hacer nada especial. ☐ hay que imaginarse la situación y tener un plan de la información que vamos a detectar.	
Hay que escuchar...	☐ una vez, como máximo dos. ☐ varias veces, dentro y fuera de la clase.	
Si no entiendes nada o casi nada la primera vez que escuchas,	☐ no vale la pena seguir escuchando. ☐ la segunda vez entenderás más.	
Hay que detectar...	☐ todo lo que se dice en ellas. ☐ solo algunas partes importantes (palabras clave).	
El ruido en las grabaciones...	☐ es una molestia innecesaria. ☐ ayuda a reproducir las condiciones reales de uso de la lengua.	
La velocidad de los hablantes debe ser...	☐ lenta para facilitar la comprensión. ☐ natural para acostumbrarse a la realidad del uso.	

B. Compara tus resultados con otros compañeros. Después, podéis debatir con vuestro profesor cuáles son vuestros puntos de vista.

 Llevarse bien LA 3

A. Jimena Blasco ha quedado con dos chicos de una red social para conocerse mejor. Lee atentamente el perfil de Jimena. ¿Crees que te llevarías bien con ella? ¿Por qué? Después coméntalo con un compañero.

3:14 PM

Profesión	Traductora
Gustos	Me encanta la cocina italiana. Me divierte ir a discotecas y bailar con mis amigos. Me pone nerviosa el reguetón. No soporto a los hombres machistas ni a los maniáticos. Me interesan la Historia y la Literatura.
Costumbres	Paso mucho tiempo en casa con mis perros y salgo solo los fines de semana. Voy al gimnasio a menudo.
Aficiones	Hacer puzles, hacer teatro, el cine francés y cocinar.
Manías	Me muerdo las uñas y nunca me pongo falda. Me dan miedo las arañas.
Carácter	Soy habladora y muy romántica. Tengo poca paciencia.

Jimena
Blasco Briz

Para resolver la tarea de la audición primero debes asegurarte de que entiendes las palabras y expresiones de la ficha de Jimena. Léela atentamente, busca las palabras que no entiendas en el diccionario y/o coméntalas con tu compañero. Seguramente vas a escuchar alguna de ellas en el audio y la vas a reconocer. También puedes prever y comentar con tus compañeros qué otras palabras pueden aparecer en las conversaciones (aficiones, adjetivos de carácter...).

● Yo me llevaría bien con ella, porque a los dos nos gustan...
○ Yo no lo sé. No me gustan las personas impacientes...

08-09

B. Jimena ha quedado con Luis y, después, con Marcos para saber más sobre cada uno. Escucha las conversaciones y toma notas en tu cuaderno sobre cómo son. ¿Con quién crees que puede llevarse mejor?

Luis Uribe Santos

Profesión	
Gustos	
Costumbres	
Aficiones	
Manías	
Carácter	

Marcos Garrido Mir

Profesión	
Gustos	
Costumbres	
Aficiones	
Manías	
Carácter	

Las actividades de audio en clase son un entrenamiento para mejorar nuestra capacidad de entender la lengua y de comunicarnos con los hablantes nativos fuera de clase. Antes, durante y después de cada audición debes usar las estrategias más eficaces para poder resolver con éxito las dificultades iniciales. Solo así mejorará progresivamente tu capacidad de comprensión y podrás aplicarla a la comunicación real con nativos.

AUTOEVALUACIÓN

Te será muy útil escribir tus impresiones tras cada unidad. Puedes hacerlo tratando de responder a las siguientes preguntas.

1. ¿Qué palabras de esta unidad quiero recordar?
....
....
....

2. ¿Qué estructuras gramaticales me parecen más útiles?
....
....
....

3. ¿Qué problemas he tenido?
....
....
....

4. ¿Qué tipo de actividad me ha sido de mayor ayuda?
....
....
....

5. ¿Y cuál me ha ayudado menos? ¿Por qué?
....
....
....

6. ¿Qué puedo hacer para mejorar mi español hablado/escrito?
....
....
....

2
gente que lo pasa bien

1. **Primeras palabras.** Vocabulario útil para la unidad.
2. **¡No me lo pierdo!** Ocio y espectáculos. Concordancia: pronombres y verbos como **gustar**.
3. **Lo pasé muy bien.** Actividades de ocio y tiempo libre.
4. **Siempre no, solo a veces.** Tu ocio. Expresiones de frecuencia.
5. **Cinco actividades recomendadas.** Reseñas. Estrategias de anticipación de vocabulario en la lectura.
6. **De cine.** Géneros cinematográficos.
7. **Cartelera.** Ficha técnica y sinopsis. Vocabulario para valorar películas.
8. **Para todos los gustos.** Vocabulario para valorar cine.
9. **No me gustó nada.** Expresiones verbales valorativas y su concordancia.
10. **Tus lugares favoritos.** Descripción de lugares de ocio.
11. **Planes.** Modelo de conversación para quedar con otra persona.
12. **¿Quedamos?** Recursos para negociar planes.
13. **Este fin de semana...** Planes de ocio.
14. **Crítica.** Opinión sobre eventos y espectáculos.
15. **Programas de televisión.** Géneros televisivos.
16. **¿Qué sabes de Santiago?** Verbos **ser**, **estar** y **hay**.
17. **Propuestas.** Elegir propuestas de ocio para diferentes personas.

Agenda

1 **Primeras palabras**

A. Aquí tienes algunas expresiones útiles para hablar del tiempo libre y el ocio. ¿Las conoces? Intenta relacionarlas con las imágenes.

quedar con amigos ....   programa de televisión ....

ir de compras ....   hacer deporte ....   concierto ....

salir a cenar ....   quedarse en casa ....   cartelera ....

música en directo ....   ir de tapas ....   ir al cine ....

B. ¿Conoces otras palabras en español que puedan ser útiles para esta unidad? Escríbelas en tu cuaderno.

2 ¡No me lo pierdo! `LA 1`

10

A. Vas a escuchar a algunas personas que hablan de sus gustos y preferencias en su tiempo de ocio. Antes de escuchar, lee las fichas. Luego complétalas con las palabras que faltan y subraya las formas que se usan.

Yo siempre que hay **un/una** .... de ....
.... voy a **verlo/verla**. No me pierdo **ninguno/**
ninguna. Me gusta mucho **el/la** **1**

Los sábados por la noche no hay nada como
.... y luego .... El sábado
próximo, por ejemplo, ... **2**

En mis ratos libres me gusta mucho .... a ....
tal vez en clubs o al .... Y, aunque no lo crean,
me **gusta/gustan** mucho **el/los** .... de ....
Soy muy **aficionado/aficionada**. **3**

Yo soy muy **casero/casera** y los fines de semana ....
quedarme .... Pero hay una cosa que
no me .... nunca: los................ de............. .
Soy **un/una fanático/fanática de/del** **4**

A mí **el/la/lo** que realmente me gusta es
.... con **5**

A mí me **gusta/gustan** mucho ....,
.... ropa, música... .... a
mercadillos. Me **encanta/encantan** ....
a .... como el Rastro. **6**

B. Escribe ahora acerca de tus gustos y preferencias en tu tiempo de ocio. Intenta seguir los modelos de lengua que has observado en las fichas anteriores.

3 Lo pasé muy bien `LA 1`

A. Escucha lo que dicen estas personas y marca de qué están hablando (✓).

11-18

- ☐ un concierto de rock
- ☐ un concierto de música clásica
- ☐ una fiesta
- ☐ un museo
- ☐ una película
- ☐ un restaurante
- ☐ una discoteca
- ☐ un partido de fútbol

B. Vuelve a escuchar la grabación y escribe las palabras que te han ayudado a descubrir de qué hablan.

....

....

....

4 Siempre no, solo a veces `LA 2`

A. ¿Con qué frecuencia haces estas cosas? Usa expresiones de frecuencia como **todos los días,**
los sábados, normalmente, a veces, casi nunca, nunca, etc.

- – ir a una exposición de arte
- – ir a ver un partido de fútbol
- – ir a la ópera
- – ir a ver un espectáculo de baile
- – ir a caminar por la montaña
- – ir a un casino a jugar

- – ir a correr
- – pasear por la playa
- – visitar a tus padres
- – ver las noticias de la tele
- – nadar
- – cocinar para amigos

- – jugar a las cartas
- – quedar con amigos
- – quedarte tranquilamente en tu
  casa un domingo por la tarde
- – salir a cenar a un buen
  restaurante

● *Casi nunca voy a exposiciones, solo cuando son de Arqueología, que es un tema que me encanta.*

B. ¿Cuándo hiciste esas cosas por última vez? Valora la experiencia.

La última vez que fui a una exposición era sobre los celtas. Me encantó.

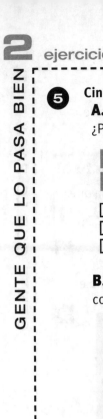

5 **Cinco actividades recomendadas** `LA 2`

A. Cuando leemos el título de un texto podemos imaginarnos qué tipo de palabras va a aparecer en él. ¿Puedes relacionar los cinco títulos de reseñas sobre actividades de ocio con las siguientes palabras?

1 Feria del libro   **3** Final de la Copa del Rey   **5** Maratón de teatro
2 Cine de mujeres   **4** Fiesta de la energía solar

- ☐ editoriales
- ☐ escenarios
- ☐ ecologista
- ☐ películas
- ☐ realizadoras
- ☐ solidaria
- ☐ deporte
- ☐ representaciones
- ☐ autores
- ☐ Familia Real
- ☐ compañías
- ☐ autógrafos

B. Lee ahora los textos de las reseñas mencionadas en el apartado anterior. Relaciona cada una con su título y comprueba si tus decisiones sobre el vocabulario han sido correctas.

☐ ☐ ☐ ☐ ☐

Barcelona presenta una nueva edición de la Muestra Internacional de Filmes de Mujeres que, durante una semana, exhibirá películas de realizadoras femeninas. Películas que, pese a su calidad, no han sido estrenadas por diferentes motivos. Variedad, creatividad y sorpresas en la Filmoteca.

El Mercat de les Flors de Barcelona se convierte por cuarta vez en el gran escaparate de la joven creación escénica. Durante 24 horas seguidas, todos los rincones del recinto se transforman en escenarios. Un acontecimiento único en Europa que acoge cada año a miles de asistentes que desean ver las representaciones más creativas de todo tipo de compañías.

Greenpeace celebra este día combinando la fiesta con la conciencia solidaria. El grupo ecologista se movilizará en la capital para dar a conocer una vez más las posibilidades del Sol como fuente de energía alternativa y limpia.

El único deporte capaz de provocar guerras televisivas reúne al Real Madrid y al Barça en la gran final de esta competición, celebrada con algo de retraso tras una liga eterna. El duelo Ronaldo-Messi y la presencia de la Familia Real añaden espectáculo al acontecimiento.

Madrid es este mes la capital de la literatura española. En el Parque del Retiro, librerías, editoriales y asociaciones de escritores acuden a la cita anual con el público. Una ocasión ideal para conocer las novedades y comprar un ejemplar con dedicatoria del autor incluida. Visita obligada para los coleccionistas de autógrafos.

6 **De cine** `LA 4`

A. Completa las frases con el nombre de uno de estos seis géneros cinematográficos.

`policíaca` `ciencia ficción` `acción` `comedia` `terror` `guerra`

1. Me gustan muchísimo las películas de ...., sobre todo cuando van de viajes espaciales, extraterrestres y cosas así.

2. El cine bélico o de .... tuvo una época de gloria en los años cuarenta.

3. Vuelve a estar de moda el cine de ....: películas llenas de persecuciones, tiroteos y escenas espectaculares.

4. Los niños no deberían ver películas de ...., si no, luego tienen pesadillas.

5. Muchos actores dicen que el género más difícil es la ...., porque hacer reír es mucho más difícil que hacer llorar.

6. ¿*L.A. Confidential*? Es una película .... muy buena. Una historia de gánsteres y policías corruptos muy bien hecha.

B. Piensa en una película de cada uno de los géneros del ejercicio anterior y traduce el título al español.

C. Lee esta nota cultural. ¿Sucede lo mismo en tu país? Coméntalo con tus compañeros.

- En mi país no se suelen traducir los títulos.

Generalmente, en Latinoamérica y en España las películas se doblan. Es decir, los diálogos están interpretados en español por actores profesionales. Además, muchas películas se estrenan con el título traducido o adaptado. Cuando esto pasa, pueden tener un nombre en España (*Salvar al soldado Ryan*) y otro en Latinoamérica (*Rescatando al soldado Ryan*).

7 **Cartelera** LA 4

A. Estas son las fichas de cuatro películas que aparecen en una página web sobre cine.
¿Cuáles te interesan más? Valóralas de más (1) a menos (4).

VIVIR ES FÁCIL CON LOS OJOS CERRADOS
★★★★★

Año: 2013 • **Duración:** 108 min. • **País:** España • **Director:** David Trueba • **Guión:** David Trueba • **Música:** Pat Metheny • **Fotografía:** Daniel Vilar • **Reparto:** Javier Cámara, Natalia de Molina, Francesc Colomer, Ramón Fontserè, Jorge Sanz, Ariadna Gil • **Productora:** Canal+ España/Fernando Trueba Producciones Cinematográficas/Televisión Española (TVE)

Sinopsis: Es 1966 y John Lennon, en plena crisis existencial y pensando en abandonar la música, está en Almería para rodar la película antibelicista *Cómo gané la guerra* (*How I won the war*), de Richard Lester. Para Antonio (Javier Cámara), un profesor de escuela que usa las canciones de los Beatles para enseñar inglés, este acontecimiento es una oportunidad única para conocer a su ídolo y hacerle una inusual petición. En su camino hacia el lugar de rodaje, Antonio recoge a Juanjo (Francesc Colomer), un chico de 16 años que se ha fugado de casa, y a Belén (Natalia de Molina), una joven de 20 que busca un cambio en su vida. La libertad y los sueños son los ejes centrales de este viaje en el que los tres personajes no solo conocerán al cantante, sino también a sí mismos.
Esta *road movie* en clave de comedia dramática recrea los problemas y aspiraciones de la España de los 60.

NO ★★★★★

Año: 2012 • **Duración:** 116 min. • **País:** Chile • **Director:** Pablo Larraín • **Guión:** Pedro Peirano • **Música:** Carlos Cabezas • **Fotografía:** Sergio Armstrong • **Reparto:** Gael García Bernal, Alfredo Castro, Luis Gnecco, Antonia Zegers, Néstor Cantillana, Alejandro Goic • **Productora:** Coproducción Chile-México-Estados Unidos; Fabula production/Participant Media/Funny Balloons

Sinopsis: Chile, 1988. El dictador Augusto Pinochet es obligado, por la presión de la comunidad internacional, a organizar un referéndum sobre su continuidad en el poder. Los líderes de la oposición contactan entonces con René Saavedra (Gael García Bernal), un joven y atrevido publicista exiliado en México, y le encargan la elaboración de una campaña a favor del NO. A pesar del estricto control policial y de tener recursos muy limitados, René y su equipo elaboran una brillante y optimista campaña para ganar el referéndum y poner fin a la dictadura militar.
Está basada en la obra teatral *El Plebiscito*, de Antonio Skármeta. En 2013 fue la primera cinta chilena en ser candidata al Óscar en la categoría de mejor película extranjera.

OCHO APELLIDOS VASCOS ★★★★

Año: 2014 • **Duración:** 98 min. • **País:** España • **Director:** Emilio Martínez-Lázaro • **Guión:** Borja Cobeaga, Diego San José • **Música:** Fernando Velázquez • **Fotografía:** Gonzalo F. Berridi, Juan Molina • **Reparto:** Dani Rovira, Clara Lago, Carmen Machi, Karra Elejalde, Alfonso Sánchez, Alberto López, Aitor Mazo, Lander Otaola • **Productora:** Lazonafilms/Kowalski Films/Telecinco Cinema

Sinopsis: Rafa es un joven sevillano de buena familia que vive de manera despreocupada y que no ha salido nunca de Andalucía. Sus únicos intereses son el fino, la gomina, el Betis y las mujeres. Todo cambia cuando se enamora de Amaia, una chica vasca, durante la Feria de Sevilla. Para conquistarla, Rafa se traslada al pueblo de Euskadi donde ella vive. Lo que no imagina es que su principal obstáculo será Koldo, el padre de Amaia, que nunca aceptaría que el novio de su hija no fuera vasco. Rafa decide adoptar el nombre de Antxon y los ocho apellidos vascos que le vienen a la cabeza: Arguiñano, Igartiburu, Erentxun, Gabilondo, Urdangarín, Otegi, Zubizarreta y Clemente.
Ocho apellidos vascos es una comedia de éxito que invita a los espectadores a reírse de los estereotipos sobre las diferencias culturales entre vascos y andaluces.

SUDOR FRÍO ★★★

Año: 2013 • **Duración:** 90 min. • **País:** Argentina • **Director:** Adrián García Bogliano • **Guión:** Adrián García Bogliano, Ramiro García Bogliano, Hernán Moyano • **Música:** Ernesto Herrera • **Fotografía:** Daniel Vilar • **Reparto:** Facundo Espinosa, Marina Glezer, Camila Velasco, Omar Musa, Omar Gioiosa, Noelia Vergini, Daniel de la Vega, Victoria Witemburg, Rolf García, Diego Cremonesi, Gimena Blesa • **Productora:** Pampa Films/Paura Flics

Sinopsis: Un joven en busca de su novia desaparecida. Una amiga incondicional dispuesta a todo para descubrir la verdad. Una investigación que culmina en una antigua casa. En su interior los esperan dos asesinos brutales, armados con veinticinco cajas de explosivos que estuvieron perdidos desde la última dictadura militar.

 B. ¿A qué película crees que pueden corresponder estas calificaciones? Coméntalo con tus compañeros.

irónica tierna agridulce crítica divertida ligera entretenida dura terrorífica
sin concesiones inquietante comercial realista profunda llena de sensibilidad

8 **Para todos los gustos** LA 5

19-24

A. Vas a escuchar a seis personas que dan su opinión sobre la película *El rey de las discotecas*. Las opiniones son muy variadas. Márcalas (√)como positivas o negativas.

Opinión				Palabras clave
1.	☐		☐	
2.	☐		☐	
3.	☐		☐	
4.	☐		☐	
5.	☐		☐	
6.	☐		☐	

B. Vuelve a escuchar la audición y completa la tabla de arriba con las palabras clave que te han ayudado a saber si la opinión es positiva o negativa.

9 **No me gustó nada** LA 6

¿Puedes recomponer estas frases? Son valoraciones sobre personas, cosas y actividades.

Estuve el otro día en el circo	me cayó francamente mal,	A mí sí me gustó.
Hace unos días vi una película	me gustaron muchísimo,	era aburridísima.
A mis padres y a mí	no me gustaron nada de nada,	es preciosa.
Ayer conocí a Carmen y a María	no te gustó mucho. ¿Es cierto?	estaban malísimos.
María me dijo que la obra de teatro	nos gustó mucho tu exposición,	fue fantástico.
Los espaguetis que comimos anoche	que no me gustó nada,	no para de hablar.
La novia de Juanjo	y me encantó,	son preciosos.
Los cuadros que compró Luis	y, la verdad, me cayeron muy bien,	son majísimas.

10 **Tus lugares favoritos** LA 6

Seguramente tienes algunos lugares preferidos a los que vas a menudo: un bar, una discoteca, un restaurante, un parque... Describe tres o cuatro en tu cuaderno y comenta con tus compañeros por qué te gustan.

● Yo voy casi todos los sábados a un pub. Es un sitio tranquilo, con buena música, donde se puede tomar algo y hablar un rato con los amigos.

11 **Planes** `LA 7`

A. Dos personas hablan por teléfono porque quieren quedar esta tarde para ir al cine. Numera por orden las respuestas de la chica.

> ¿Por qué no quedamos esta tarde para ir al cine?

`1`

> ¿Qué te parece a la sesión de las seis y cuarto?

`3`

> Bueno, vale, pues a las ocho. ¿Qué película te apetece ver?

`5`

> A ver...
> *El hombre salvaje* y *Mira quién llora.*

`7`

> Ah, pues muy bien. Esa no la he visto. Entonces, a las ocho paso por tu casa.

`9`

> ¡Hasta luego!

`11`

☐ Perfecto. ¡Nos vemos aquí!

☐ ¿Tan pronto? Mejor a la de las ocho u ocho y media, ¿no? Es que esta tarde tengo clase de baile.

☐ ¿Al cine? Bueno, ¿a qué hora?

☐ Ah, pues no sé... me da igual. ¿Qué ponen en el Florida, que está cerca?

☐ Uf, ¡qué rollo! ¿Y si en lugar del cine nos quedamos en mi casa y vemos una película clásica? Yo tengo ganas de volver a ver *To be or not to be.*

B. Escucha el audio y comprueba tus respuestas.

25

12 **¿Quedamos?** `LA 7`

Para ponerse de acuerdo en hacer algo hay que negociar los pequeños detalles. Fíjate en los recursos que se usan en el primer diálogo. Después completa los siguientes.

1. ● ¿Desayunamos juntos mañana a las nueve?
   ○ Las nueve es un poco pronto, ¿no?
   ● ¿Y a las nueve y media? Es que más tarde ya no puedo.

2. ● ¿Te apetece..?
   ○ Me gustaría mucho, pero es que ese día tengo una boda.
   ● Ah, pues entonces ....
   ....

3. ● ....
   ○ Mejor en otro sitio, ¿no? En ese café hay siempre mucha gente.
   ● Normalmente sí, pero mañana ....
   ....

4. ● ....
   ○ Lo siento, pero voy a ir con Pablo.
   ● ....

5. ● ....
   ○ Me parece muy buena idea, ¿cómo quedamos?
   ● ....

6. ● ¿Y si te digo que tengo dos entradas para el concierto de esta noche? ¿..............................?
   ○ ¡..............................! Es que ya tengo un compromiso. ....
   ● Sí, es una lástima. Bueno, pues ....

GENTE QUE LO PASA BIEN

2 ejercicios

13 Este fin de semana... LA 8

A. Rellena tu agenda con lo que quieres hacer o con lo que tienes que hacer el próximo fin de semana.

viernes	sábado	domingo

B. Ahora, escucha la grabación y escribe tus reacciones a las propuestas que oirás. Puedes cambiar tus planes...

26

14 Crítica LA 9

Piensa en la última película, obra de teatro, concierto o programa de tele que has visto y escribe tu opinión.

El último programa que vi en la tele fue anoche: un reportaje sobre las minas antipersonas en el Tercer Mundo. Me pareció muy interesante porque...

15 Programas de televisión LA 9

A. Escribe nombres de programas famosos en tu país para cada categoría.

concursos   series de televisión   magazine   telenovelas   dibujos animados   programas tipo *reality show*

programas de cocina   programas de música   programas de deporte   programas de humor

B. Comenta tus resultados con tus compañeros. ¿Conocen programas similares?

En Alemania, es muy famoso un concurso que se llama "Wer wird Millionär?". El concursante tiene que responder a muchas preguntas...

C. En grupos vais a diseñar vuestro programa ideal y después vais a presentarlo a vuestros compañeros. Pensad qué tipo de programa es, de qué va, a qué espectadores se dirige, etc.

● Nuestro programa es un "reality show" que va de unos estudiantes en una clase de idiomas. Cuenta las experiencias de...

¿Qué sabes de Santiago? `LA 10`

A. Vuelve a leer el texto de la página 34 del Libro del alumno y completa las frases.

1. El lugar más visitado en Santiago **es** .... El segundo es el .... , donde **hay** todo tipo

   de .... gallegos.

2. Un momento ideal para ir de tapas alrededor de la catedral **es** .... , que es cuando **hay** ....

3. La oferta musical de Santiago **es** amplia. Uno de los lugares donde ver música en directo **es** ....

   El concierto de este sábado **es** .... de la noche.

4. En el .... **hay** .... , talleres y espectáculos.

5. En la "Zona Vieja" **hay** .... Las tiendas de moda

   internacionales **están** en .... Sin duda, **es** la parte más .... de la ciudad.

B. Completa con **es**, **está** o **hay**.

1. El concierto .... en el teatro Olimpia a las diez.

2. El Museo de Historia .... muy cerca de mi casa.

3. Creo que la fiesta .... en casa de Lola.

4. .... un concierto muy bueno mañana en el Auditorio Nacional. ¿Te apetece ir conmigo?

5. La película .... a las cuatro en el cine Roxy.

6. Me han dicho que .... una fiesta de disfraces en casa de Paco mañana.

7. Hemos quedado en mi casa, que .... aquí al lado, para tomar un café.

8. ● ¿Sabéis dónde .... la exposición de Barceló?

   ○ Sí, en la Galería Maez, la que .... en la calle Roncal.

 Propuestas `LA 10`

Vuelve a leer el texto de la página 34 del Libro del alumno.
Elige una actividad para llevar a las siguientes personas
y justifica por qué.

- Una persona con la que sales desde hace poco
  y que te gusta mucho.
- Un compañero con el que tienes que hablar
  de trabajo.
- Un niño, familiar tuyo, que tienes que cuidar.
- Un grupo de amigos después de cenar.
- Una persona que no te cae muy bien, pero a la que tienes que
  acompañar un día.
- Un amigo aficionado al jazz.
- La abuela de un amigo que está visitando la ciudad.
- Tu profesor o profesora de español.
- Un amigo al que le encantan los bailes de salón.

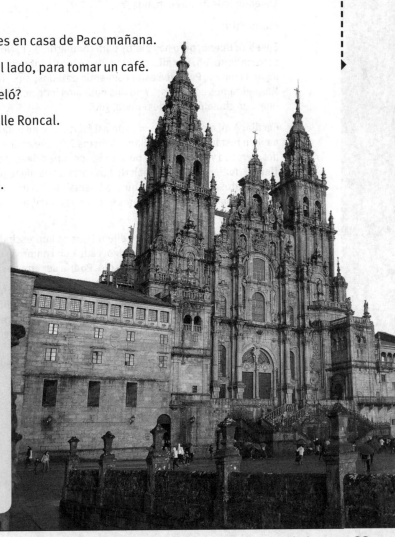

ASÍ PUEDES APRENDER MEJOR

18 **Un fin de semana en Santiago** LA 10

Esta es la transcripción de la conversación de la página 35 del Libro del alumno. Léela y observa los recursos destacados. ¿Los puedes traducir a tu lengua? ¿Usas recursos equivalentes?

Amanda: **¿Qué les parece si** vamos a comer alguna cosa en un bar, parados? **Así** no perdemos mucho tiempo y podemos seguir paseando.

Martín: ¿Parados? **¿Quieres decir** "comer de pie"?

Amanda: Sí, sí. De pie, ¿no? Dice que... hay, en la zona del mercado hay muchos bares donde puedes pedir embutido, queso y te ponen pan típico gallego. ¿Qué les parece?

Eusebio: Sí, yo estoy un poco cansado. **Para mí, mejor si** nos sentamos a comer en un restaurante. A mí me pasaron una dirección, que se ve que es por acá por el centro: Asador Gonzaba. Es carne gallega, así típica y nos sentamos, **¿no?**, un poco.

Martín: ¿Y a cuánto sale, más o menos?

Eusebio: Sale a, más o menos, 20, 25.

Martín: **¡Uf!**

Eusebio: **Bueno, pero** hay platos para compartir, dice. No sé. Yo estoy muerto, eh, **por mí**... prefiero, no sé, nos sentamos en un lugar a comer. **¿Para qué** estar comiendo parados, ahí... todos? Nos sentamos cómodos... Y no nos podemos ir de acá sin comer una... un chuletón de... de ternera, ¿no?

Cecilia: A mí me pasa que un plato así fuerte... Yo he leído... (que hay) un restaurante que se llama Abastos 2.0, que está al lado del mercado y que es así un poco *chic*, con tapas-degustación. Tiene... no tiene menú normal. No hay carta, cada día te proponen cinco platos. Y me han dicho que es buenísimo. Y a mí... pues prefiero comer poco que..., porque si vamos a también... comer esta noche y todo, pues...

Amanda: ¡Ah!! **¡Ya lo tengo!** Me dijeron que es imprescindible ir al mercado de Abastos. Comprás algo, cada uno compre la cantidad que quiere, y te lo cocinan ahí mismo. **Podría ser una opción**, ¿no?

Martín: **Yo, la verdad,** tengo unos amigos de Sevilla que me han recomendado un... un restaurante cerca de... de la catedral: Restaurante Tarara, que es de comida gallega, gallega, **¿eh?** Y... y sale... Hay dos tipos de menús: el... el 8, que es el más económico, y el de 15. Pero te llena, ¿eh?, llena mucho. Yo... yo creo sinceramente... comer algo auténtico, tradicional, sentados y relajados.

Cecilia: **Yo prefiero** algo más elaborado, de nueva cocina, y que no tenga tanta cantidad.

Martín: Pero... ¿a cuánto sale el tuyo?

Cecilia: **Pues** un poco más caro.

Cuando participamos en una conversación para decidir sobre algún tema, no nos limitamos solo a dar nuestra opinión o propuesta, sino que participamos de manera activa en el desarrollo de esa conversación: damos nuestra opinión, escuchamos la de los demás, pedimos aclaraciones cuando tenemos dudas, respondemos a las preguntas, reaccionamos de manera adecuada, demostramos que estamos interesados y, también, intervenimos de manera cooperativa.

19 **Planes para este sábado** `LA 11`

A. Grabaos discutiendo los planes para el próximo sábado (página 35 del Libro del alumno) y completad una ficha como esta para valorar vuestra participación.

	poco	suficiente	mucho
He hecho propuestas y las he justificado.			
He pedido su opinión a mis compañeros.			
He pedido aclaraciones y he hecho preguntas.			
He respondido a las preguntas y dudas de mis compañeros.			
He escuchado con atención.			
He dado mi opinión sobre las propuestas de mis compañeros.			
He dado propuestas alternativas.			
He participado activamente en la conversación.			

B. ¿Qué aspectos de la conversación usas con fluidez? ¿Cuáles puedes mejorar?

AUTOEVALUACIÓN

Te será muy útil escribir tus impresiones tras cada unidad. Puedes hacerlo tratando de responder a las siguientes preguntas.

1. ¿Qué palabras de esta unidad quiero recordar?

2. ¿Qué estructuras gramaticales me parecen más útiles?

3. ¿Qué problemas he tenido?

4. ¿Qué tipo de actividad me ha sido de mayor ayuda?

5. ¿Y cuál me ha ayudado menos? ¿Por qué?

6. ¿Qué puedo hacer para practicar lo que he aprendido?

3 gente de novela

1. **Primeras palabras.** Vocabulario útil para la unidad.
2. **Sobre la vida de Max Abra.** La biografía. Formas regulares e irregulares del pretérito indefinido.
3. **Estuve viendo la tele.** Contraste entre pretérito indefinido y **estuve** + gerundio.
4. **Perdona, ¿cómo dices?** Recursos para pedir aclaraciones. Pronombres interrogativos.
5. **Declaraciones.** Las formas del pretérito imperfecto.
6. **Cosas del pasado.** Construir frases con indefinido e imperfecto.
7. **Amor a primera vista.** Hechos principales, circunstancias y razones en un relato. Indefinido e imperfecto.
8. **Estaba leyendo cuando...** Historias sorprendentes. Imperfecto, indefinido y **estar** + gerundio.
9. **¿Te acuerdas?** Hechos y circunstancias en tu vida.
10. **Anécdotas.** Imperfecto e indefinido.
11. **Reconstrucción de los hechos.** El pretérito pluscuamperfecto.
12. **Causas y razones.** Describir causas para un hecho. El pluscuamperfecto, imperfecto...
13. **Puntos de vista.** Informar sobre acontecimientos previos. El pluscuamperfecto.
14. **La vida de Marina.** Contrastar datos biográficos con otros acontecimientos. El pluscuamperfecto.
15. **Cómo era y qué hacía.** Describir a una persona y sus hábitos en el pasado. El imperfecto.

Agenda

Manuel Vázquez Montalbán
SERIE CARVALHO
El delantero centro fue asesinado al atardecer

❶ **Primeras palabras**

A. Aquí tienes palabras y expresiones útiles para esta unidad. ¿Las conoces? ¿Puedes relacionarlas con las imágenes?

víctima ...... corrupción ...... secuestro ...... seguridad ......
interrogatorio ...... testigo ...... sospechar ......
hacer declaraciones ...... novela policiaca ...... periodista ......
mafioso ...... coartada ...... detective ......

B. ¿Conoces otras palabras en español que puedan ser útiles para la unidad? Escríbelas en tu cuaderno.

Sobre la vida de Max Abra

A. Lee este artículo sobre la biografía del mago Max Abra y escoge la continuación del título que consideres más adecuada. Justifica tu elección.

1. Un mago que nunca lo tuvo fácil
2. Un hombre reconocido por su vida sentimental
3. Un profesional incansable

VAMOS A CONOCER A...

Max **Abra:**

Máximo Abrantes González, más conocido como Max Abra, nació en Calatayud (Zaragoza) en 1958, pero se crió en Sevilla porque su madre murió y su padre se trasladó a la capital andaluza, donde vivía su familia. A los 8 años empezó a destacar en fiestas familiares y escolares por su habilidad con la magia y su talento escénico. Con 14 años inició sus estudios en la Escuela de Magia de George Loom en Londres, que le influyó en su manera de hacer magia, y con 18 años empezó a actuar en pequeñas salas y teatros de toda España.

Su fama se extendió rápidamente y se convirtió en uno de los artistas más famosos del país por sus frecuentes apariciones televisivas y por sus romances, primero con la famosa modelo Cristina Rico y más tarde con la actriz Estrella Cruz.

En 1995 publicó *El conejo en la chistera: trucos para sobrevivir*, un libro de autoayuda que alcanzó los primeros puestos en las listas de ventas. Su popularidad aumentó un año después al presentar el programa de televisión *Magia a la carta*, que obtuvo varios premios nacionales y que estuvo en pantalla los ocho años siguientes.

"He trabajado duro desde niño para ser un buen mago."

En la actualidad Max Abra continúa haciendo giras por España y Latinoamérica, aunque ha reducido considerablemente su presencia en los medios. "Necesito una pausa: llevo muchos años en el candelero y quiero descansar un poco…", declaró hace unos meses en una entrevista.

B. Ahora observa las formas verbales de la biografía. Subraya las del pretérito indefinido y escribe en tu cuaderno su infinitivo.

nació ——→ nacer

C. Clasifica las formas verbales del apartado anterior.

Regulares		Irregulares			
Verbos en -AR	Verbos en -ER/-IR	e/i	o/u	i/y	raíz irregular
crió – criar (to raise)	nació – nacer	convirtió	murió (morir)	influyó (influir)	obtuvo – obtener
trasladó – trasladar (mudarse)	crió – criar (to raise)				estuvo – estar
empezar (-ó)	morir (murió)				
inició – iniciar	vivía – vivir				
influyó (-ar)	extendió (er)				
publicó estuvo	convertir (ció)				
alcanzó	obtuvo (obtener)				
aumentó declaró					

3 **Estuve viendo la tele**   `LA 1`

A. ¿Qué hiciste ayer por la tarde? Escribe cuatro cosas que hiciste y cuánto tiempo estuviste haciéndolas.

Ayer por la tarde...

27

B. Escucha ahora a estas personas, ¿coincide algo de lo que has escrito con lo que dicen?

Yo también estuve...

C. Vuelve a escuchar la grabación y marca (✓) la forma verbal que usan. ¿Con cuál de las dos formas se hace más énfasis en la duración de la acción?

	indefinido	estuve + gerundio
1.		
2.		
3.		
4.		
5.		
6.		
7.		
8.		

D. Completa estas frases con los verbos en indefinido o usando **estuve** + gerundio.

1. Pues ayer no (**hacer**) .... nada especial: (**ordenar**) .... mis libros toda la tarde.

2. A eso de las once (**venir**) .... a casa un viejo amigo mío. (**charlar**) .... dos horas sin parar. Luego (**salir**) .... a comer algo a un restaurante.

3. Ayer a las cuatro (**ir**) .... a la biblioteca. (**buscar**) .... unos libros durante horas, pero no (**encontrar**) .... ninguno de interés.

4. Casi no he dormido: anoche (**ver**) .... una serie hasta muy tarde. ¡(**acostarse**) .... a las 6 de la mañana!

4 **Perdona, ¿cómo dices?**   `LA 2`

A. Estas personas cuentan algunas cosas, pero el ruido no te deja oír bien. ¿Cómo pides aclaraciones?

28

1. *¿Con quién?*

2. ¿...?

3. ¿...?

4. ¿...?

5. ¿...?

6. ¿...?

7. ¿...?

8. ¿...?

9. ¿...?

10. ¿...?

29

B. Ahora comprueba cómo piden aclaraciones las personas de la grabación. Puedes repetir las preguntas fijándote muy bien en la entonación.

5 **Declaraciones** `LA 3`

30-36

A. El inspector Carvajal ha interrogado a conocidos de Max Abra en relación con su desaparición. Les ha preguntado cuándo fue la última vez que lo vieron. Escucha y escribe el número correspondiente a cada persona.

Ana Paula da Silva ☐

Su profesora de portugués

Celia González ☐

Su madre

Fidel Jurado ☐

Su mejor amigo

Vidal Galeno ☐

Su médico

Arturo Soriano ☐

Su agente

Sansón Delgado ☐

Su profesor de gimnasia

Estrella Cruz ☐

Su exnovia

B. Lee estos fragmentos de la libreta del inspector Carvajal. ¿A cuál de las personas anteriores corresponden?

Tenía algo diferente en la mirada. Me dijo que desde hacía unos meses **veía** a una chica, que estaban muy enamorados y que lo quería dejar todo por ella.

Solo me dijo que **salía** de viaje y que no **iba** a venir a verme en una temporada. Yo sabía que algo malo iba a ocurrir.

Lo examiné y estaba bien. Su salud **era** buena.

Pero ese día parecía distraído. No **escuchaba** mis explicaciones ni las de sus compañeros.

C. Clasifica en el cuadro las formas de imperfecto destacadas en el apartado anterior y completa las restantes.

	verbos en -ar	verbos en -er	verbos en -ir	ser	ver	ir
yo						
tú						
el, ella, usted						
nosotros/as						
vosotros/as						
ellos, ellas, ustedes						

GENTE DE NOVELA

6 Cosas del pasado `LA 3`

Relaciona un elemento de cada columna hasta formar ocho frases.

Ayer no comí nada	él se puso rojo	y no pude volver a casa
Cuando Lola besó a Luis	no había taxis	porque tenía resaca.
Cuando tenía cuatro años	me compraron una bici	que se llamaba Rex.
Isabel y Jacobo	hacía mucho frío	donde no había tiendas.
El viernes pasado	porque me encontraba	porque era la primera vez.
Llovía mucho,	se levantó a las dos	fatal del estómago.
Laura	vivía en una calle	que tenía cuatro ruedas.
Hace muchos años	se conocieron en un bar	y nos quedamos en casa.

7 Amor a primera vista `LA 3`

Completa el relato de cómo Pedro conoció al amor de su vida con las circunstancias que aparecen debajo. Antes tendrás que poner en imperfecto los verbos entre paréntesis.

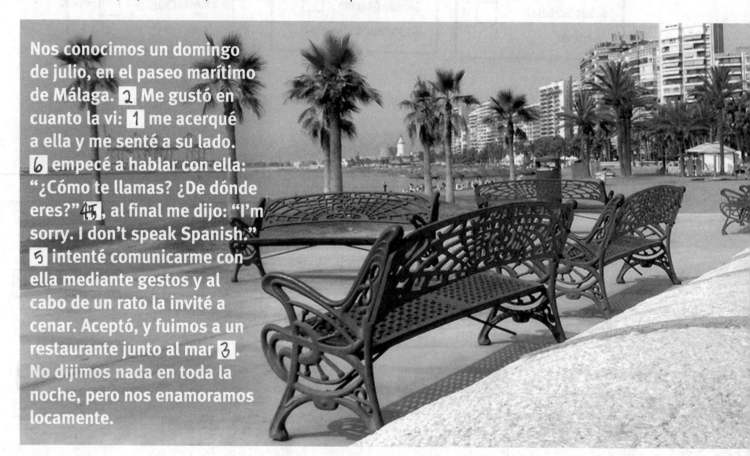

Nos conocimos un domingo de julio, en el paseo marítimo de Málaga. **2** Me gustó en cuanto la vi: **1** me acerqué a ella y me senté a su lado. **6** empecé a hablar con ella: "¿Cómo te llamas? ¿De dónde eres?" **4**, al final me dijo: "I'm sorry. I don't speak Spanish." **5** intenté comunicarme con ella mediante gestos y al cabo de un rato la invité a cenar. Aceptó, y fuimos a un restaurante junto al mar **3**. No dijimos nada en toda la noche, pero nos enamoramos locamente.

1. (**ser**) _Era_ morena, de ojos verdes, (**parecer**) _parecía_ tímida y (**estar**) _estaba_ sola, así que...

2. Aquel día (**hacer**) _hacía_ mucho calor, y ella (**estar**) _estaba_ sentada en un banco del paseo.

3. Desde nuestra mesa (**oírse**) _nos oíamos_ el ruido de las olas y ella no (**dejar**) _dejaba_ de sonreír.

4. Ella me (**mirar**) _miraba_ y (**sonreír**) _sonreía_, pero no me (**contestar**) _contestaba_.

5. En aquella época yo no (**saber**) _sabía_ ni una palabra de inglés pero...

6. Yo (**estar**) _estaba_ bastante nervioso, pero me (**gustar**) _gustaba_ tanto que...

8 Estaba leyendo cuando... `LA 3`

A estas personas les han ocurrido cosas un poco sorprendentes. ¿Qué estaban haciendo cuando sucedieron? Inventa un final para cada historia.

A

B

C

Estaba leyendo tranquilamente cuando alguien llamó por teléfono. Era el Presidente del Gobierno en persona...

....

....

....

....

....

....

D

E

F

....

....

....

....

....

....

....

....

....

9 ¿Te acuerdas? `LA 3`

Completa la tabla en tu cuaderno con tus propios recuerdos.

	Acontecimento	Circunstancias				
	¿Cuándo fue? ¿Qué pasó?	¿Dónde estabas?	¿Qué tiempo hacía?	¿Con quién estabas?	¿Cómo ibas vestido/a?	...
Un día feliz	El 17 de diciembre de 1990: nació mi hijo.	En esa época yo vivía en Madrid.	Hacía buen tiempo.	Con mi marido.	Llevaba un camisón.	Estaba bastante cansada.
...						
...						

- Un día de suerte
- Un día en el que tomaste una decisión importante
- Un día especial de tu infancia
- Un día de mala suerte
- Un día en el extranjero

- Un día en el que te pasó algo misterioso
- Un día en el que te enfadaste mucho
- La primera vez que te enamoraste
- La última vez que pasaste mucha vergüenza
- La última vez que pasaste mucho miedo

Anécdotas LA 3

A. En parejas, elegid una de las dos tarjetas. Cada uno tiene que prepararse para contar una anécdota basándose en los acontecimientos y circunstancias que hay en vuestra tarjeta. Cuando uno cuenta su historia, el otro puede hacer preguntas.

> **A**
> – anoche
> – en mi casa
> – a punto de dormirme
> – sonar el teléfono
> – escuchar una voz extraña en otro idioma
> – volver a llamar otras dos veces

> **B**
> – el verano pasado
> – en coche por una carretera secundaria
> – pararse el coche de repente
> – ver un ovni
> – parar frente al coche
> – bajar un ser muy extraño

B. Ahora, las mismas parejas, cread conjuntamente dos nuevas tarjetas con nuevos acontecimientos y circunstancias para entregárselas después a otra pareja de compañeros. Después, entre los cuatro, vais a intercambiar tarjetas y a contaros las anédotas.

 Reconstrucción de los hechos LA 5

Estas son las declaraciones de algunas personas que estaban en los grandes almacenes cuando desapareció el dueño de la maleta. Léelas y marca (✓) la respuesta adecuada a cada pregunta.

1. ¿Qué dependiente vio al hombre de la maleta?

 ☐ Luis López: "Me acerqué al probador y vi que un cliente entró en él."

 ☐ Alba Urquijo: "Me acerqué al probador y vi que un cliente había entrado en él."

2. ¿Qué cliente oyó ruidos extraños en el probador de la maleta?

 ☐ Fermín Rojo: "Yo había estado probándome ropa en el probador de al lado."

 ☐ Jesús Casado: "Yo estaba probándome ropa en el probador de al lado."

3. ¿Qué guardia de seguridad estaba de servicio en aquel momento?

 ☐ Adrián Pastor: "A las 17 h, yo ya había hecho mi descanso."

 ☐ Tomás Recio: "A las 17 h, yo hacía mi descanso."

  Causas y razones LA 5

Escribe la razón por la que te pasaron estas cosas.

– La última vez que llegué tarde a una cita fue porque... *había mucho tráfico, había perdido el tren...*
– La última vez que me enfadé...
– La última vez que me reí mucho...
– La última vez que no fui a clase...
– La última vez que...

13 **Puntos de vista** `LA 7`

Las cosas las podemos contar de muchas maneras, desde diferentes puntos de vista. Vuelve a escribir estos relatos reorganizando los acontecimientos, como en el ejemplo. Tendrás que usar el pluscuamperfecto.

> **1**
> Fue un día duro. Tuve tres reuniones muy importantes y apenas pude comer. Solo comí un bocadillo, de pie, en la oficina. Por la tarde hablé con Ricardo, un compañero, sobre un problema que tenemos en nuestro departamento. Fue una conversación un poco desagradable... Cuando entré en casa me di cuenta enseguida. "¡Lo que faltaba!", pensé. "Me han entrado a robar."
>
> *Cuando entré en casa me di cuenta enseguida. "¡Lo que faltaba!", pensé. "Me han entrado a robar." Y es que había sido un día duro: había tenido tres reuniones y...*

> **2**
> Ese día me levanté demasiado tarde, me arreglé a toda velocidad. Salí de casa con prisas, nerviosa... Me llevé el coche pequeño para poder aparcar mejor. Llegué a la estación con el tiempo justo para coger el tren, pero entrando en el parking, pum... Fue un accidente de lo más estúpido.
>
> *Fue un accidente de lo más estúpido...*

> **3**
> Por la mañana le compré un anillo precioso y carísimo, después le envié un ramo de flores a casa. Por la tarde me arreglé bien, me puse la colonia que a ella le gusta y me fui a la cita nerviosísimo. Y me dijo que sí, que se quería casar conmigo.
>
> *Me dijo que sí...*

14 **La vida de Marina** `LA 7`

Contrasta los datos biográficos de Marina con los tuyos o con acontecimientos sobre tu país o sobre el mundo. Usa **en aquella época**, **aquel año**, **aquel día**...

– Marina nació en 1960, el 1 de enero.

– *Yo, en 1960 todavía no había nacido.*

– En 1977 entró en la Universidad.

– *Mi mamá en aquella época ya no había terminado la escuela primaria.*

– En 1989 hizo oposiciones y ganó una plaza en un instituto de enseñanza secundaria.

– *Aquel año mis padres ya no se habían conocido.*

– En 1996 conoció a Tomás y se casaron el mismo año, el 15 de agosto.

– *Aquel día yo ya había conocido a mi prima, que se había nacido tres meses antes.*

– En 2003 nació su hija Teresa.

– *En 2003, mis padres ya habían dos hijos.*

– A los pocos meses, Marina dejó su trabajo y empezó a dedicarse a la pintura.

– ....

– En 2004 hizo su primera exposición y tuvo mucho éxito.

– ....

15 **Cómo era y qué hacía**

Debes averiguar todo lo posible sobre la infancia de un compañero de clase. ¿Qué preguntas puedes hacer? Prepáralas por escrito y luego habla con tu compañero.

¿Dónde vivías?

ASÍ PUEDES APRENDER MEJOR

16 **El inicio de una novela**

A. Aquí tienes el comienzo de una famosa novela de la escritora española Carmen Laforet. ¿Has tenido una sensación similar al llegar por primera vez a una nueva ciudad?

> "Por dificultades en el último momento para adquirir billetes, llegué a Barcelona a medianoche, en un tren distinto del que había anunciado y no me esperaba nadie.
>
> La sangre, después del viaje largo y cansado, me empezaba a circular en las piernas entumecidas y con una sonrisa de asombro miraba la gran Estación de Francia y los grupos que se formaban entre las personas que estaban aguardando el expreso y los que llegábamos con tres horas de retraso."

B. Aquí tienes los sustantivos y los verbos que se emplean en el siguiente párrafo de la novela, en el mismo orden en el que aparecen. Con ayuda de dos compañeros, intenta redactarlo.

olor

rumor

gente

luces

tener

encanto

envolver

impresiones

maravilla

llegar

ciudad

sueños

"El olor especial, el gran rumor de la gente, las luces siempre tristes, tenían para mí un gran encanto, ya que envolvía todas mis impresiones en la maravilla de haber llegado por fin a una ciudad grande, adorada en mis sueños por desconocida."

Nada, Carmen Laforet

En actividades como esta, en las que comparas tus producciones con las originales de un nativo, puedes darte cuenta mucho mejor de cómo funcionan algunos aspectos gramaticales. Tú mismo, además, puedes decidir qué cuestiones son las que te interesa más recordar o estudiar con más detalle.

AUTOEVALUACIÓN

Te será muy útil escribir tus impresiones tras cada unidad. Puedes hacerlo tratando de responder a las siguientes preguntas.

1. ¿Qué palabras de esta unidad quiero recordar?
....
....
....

2. ¿Qué estructuras gramaticales me parecen más útiles?
....
....
....

3. ¿Qué problemas he tenido?
....
....
....

4. ¿Qué tipo de actividad me ha sido de mayor ayuda?
....
....
....

5. ¿Y cuál me ha ayudado menos? ¿Por qué?
....
....
....

6. ¿Qué puedo hacer para mejorar mi español hablado/escrito?
....
....
....

4

gente sana

1. **Primeras palabras.** Vocabulario útil para la unidad.
2. **Sano y saludable.** Combinaciones léxicas con **sano**, **salud** y sus derivados.
3. **Etiqueta y usos.** El uso del móvil en tu entorno.
4. **Dispositivos móviles.** Encontrar información en un texto.
5. **El experto en salud recomienda...** Problemas de salud y recomendaciones. Imperativo afirmativo y negativo.
6. **El cuerpo.** Partes del cuerpo y salud.
7. **Mueve la cabeza.** Partes del cuerpo y movimientos.
8. **Pacientes.** Problemas de salud.
9. **Enfermo en otro país.** Vocabulario para hablar de síntomas, enfermedades y tratamientos.
10. **Le pican los ojos.** Combinaciones léxicas para hablar de síntomas y enfermedades.
11. **Síntomas.** Síntomas asociados a problemas de salud frecuentes.
12. **Me cuesta mucho dormir.** Expresar problemas de salud. Recursos para dar consejos.
13. **Accidentes domésticos.** Campaña de prevención de riesgos. Imperativo y posición de los pronombres.
14. **Me dirijo a su periódico para...** Carta al director. Conectores. Adverbios en **-mente**.
15. **Productos "mágicos".** Texto informativo sobre remedios caseros.

Agenda

1 **Primeras palabras**

A. Estas son algunas palabras y expresiones útiles para la unidad. ¿Conoces su significado? Relaciónalas con las imágenes.

dispositivo móvil ......   dolor de espalda ......   adicción ......   salud ......

enfermedad ......   ejercicio físico ......   medicamento ......   dieta ......

vida sedentaria ......   cansancio ......   urgencias ......   remedio ......

B. Piensa en el tema de la salud. ¿Hay más palabras que necesitas conocer?

2 **Sano y saludable** `LA 1`

A. Mira las siguientes palabras, solo o con la ayuda de tus compañeros. ¿Qué tienen en común? ¿En qué se diferencian? ¿Puedes proponer ejemplos de uso?

> sano   sanidad   saludable   salud   sanitario

 B. Usa las palabras anteriores para completar las siguientes expresiones. En algunos casos necesitarás cambiar la forma de la palabra (singular o plural, masculino o femenino), añadir **de** o poner un artículo (**el/la/los/las**). Puedes confirmar tus resultados en internet.

1. tener buena/mala ....
2. tener una .... excelente/de hierro
3. tener (algunos) problemas ....
4. tener hábitos (muy/poco/bastante) ....
5. preocuparse (mucho/poco) por ....
6. llevar una vida ....
7. .... universal
8. ser bueno/malo/perjudicial para ....

9. .... física y mental
10. comida ....
11. cuidar ....
12. un centro ....
13. seguro .... o seguro médico
14. las autoridades ....
15. dar/recibir asistencia ....
16. Ministerio de ....

 C. Después de corregir el apartado anterior, escoge las cinco expresiones que te han costado más, imagina un contexto y escribe frases en tu cuaderno.

3 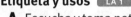 **Etiqueta y usos** `LA 1`

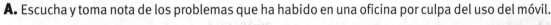

A. Escucha y toma nota de los problemas que ha habido en una oficina por culpa del uso del móvil.

37

 B. ¿Cuál es para ti el uso "correcto" del móvil en estas situaciones? Coméntalo con tus compañeros.
   – Cuando estás en el trabajo
   – Cuando estás en un tren
   – Cuando estás entre amigos
   – Cuando estás en clase
   – Cuando estás en un centro de salud
   – Cuando estás haciendo cola en un cine
   – Cuando estás en un autobús

● *Yo cuando voy en tren siempre llevo el móvil en silencio.*

- tener el móvil en silencio
- mirar mensajes
- desactivar el sonido de las notificaciones
- desactivar el sonido del teclado
- hablar en voz alta
- ir a otro lugar para hablar
- poner música a todo volumen
- consultar el correo personal

4 **Dispositivos móviles** `LA 2`

A. Vuelve a leer el artículo "Salud y dispositivos móviles" del Libro del alumno y busca ejemplos concretos de las siguientes afirmaciones.

El uso de móviles y tabletas tiene efectos negativos sobre:

– la salud física: ....

– la salud mental: ....

– las relaciones sociales: ....

– las tareas que necesitan atención: ....

B. Fíjate en las palabras destacadas y busca en el texto qué palabra o expresión tiene un significado similar u opuesto. Después compara tus repuestas con las de un compañero.

Significado similar	Significado opuesto
afectan negativamente a las relaciones sociales:	una posición **natural** o **relajada**:
....	....
tener la atención puesta en el móvil:	tiene **ventajas**:
....	....
los usamos **todo el tiempo**:	**beneficia** la vista:
....	....
apartar **los ojos** de la carretera:	son **beneficiosas** para la salud de los niños:
....	....

C. Lee nuevamente las afirmaciones del apartado A, ¿estás de acuerdo con todas? Piensa en ejemplos a favor y en contra. Después coméntalas con tus compañeros.

5 **El experto en salud recomienda...** `LA 3`

Aquí tienes algunas recomendaciones relacionadas con la salud, el bienestar y la imagen personal. ¿A cuál de los siguientes problemas se refiere cada una de ellas? Después completa los espacios con la forma adecuada de los verbos entre paréntesis.

`quemaduras solares` `insomnio` `caries` `sobrepeso` `mal aliento` `acné`

1. PROBLEMA: ....

No pase (**pasar**) mucho tiempo sin comer ni beber.

.... (**mantener**) la boca húmeda.

Para ello, ... (**masticar**) un chicle o

.... (**comerse**) un trozo de limón.

2. PROBLEMA: ....

.... (**lavarse**) los dientes después de cada

comida. No .... (**comer**) alimentos con

exceso de azúcar. .... (**realizar**) un control

dental cada seis meses.

3. PROBLEMA: ....

No .... (**tomar**) alimentos ricos

en grasas o en azúcares. Después de lavarse

la parte afectada, ... (**secarse**)

cuidadosamente la piel con una toalla limpia.

.... (**evitar**) el uso de cremas.

4. PROBLEMA: ....

No .... (**dormir**) durante el día.

.... (**leer**) un libro o ....

(**escuchar**) música suave. Si puede, ...

(**tomar**) un baño antes de acostarse.

5. PROBLEMA: ....

Aumente su actividad física: ....

(**caminar**) en lugar de usar el coche o el autobús y

.... (**tomar**) las escaleras en lugar del

ascensor. .... (**sentarse**) para comer y

.... (**masticar**) despacio los alimentos.

6. PROBLEMA: ....

No .... (**pasar**) periodos largos al sol.

.... (**refrescarse**) tomando un baño

o una ducha con frecuencia o ....

(**proteger**) su piel con ropa fresca y de colores claros.

6 **El cuerpo** `LA 3`

A. ¿Qué nombres de partes del cuerpo recuerdas? Escríbelos.

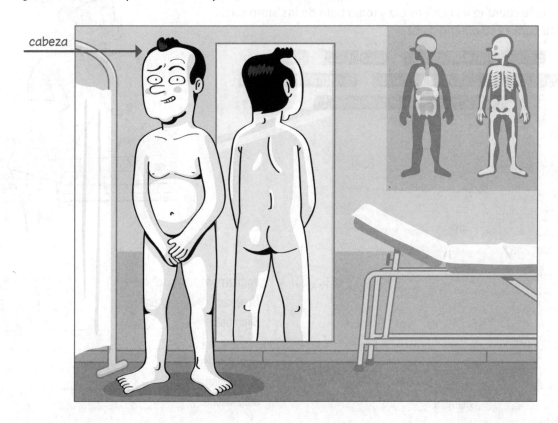

cabeza

B. Compara tu lista con las de tus compañeros. ¿Quién ha escrito más partes del cuerpo?

C. Piensa cuáles de estas actividades y hábitos son buenos o malos para las partes del cuerpo que habéis pensado y para la salud en general (la circulación, la mente, la presión...). Añade dos actividades más.

· nadar	· fumar	· escuchar música con
· ir en bicicleta	· beber vino	auriculares
· jugar al ajedrez	· comer dulces	
· ver la televisión	· bailar	· ....
· tomar el sol	· trabajar de pie	· ....

 D. Comentad luego qué actividades hacéis y decidid quién tiene unos hábitos más sanos.

● *Yo no nado nunca, no me gusta, pero voy tres veces a la semana al gimnasio. ¿Y tú?*
○ *Pues yo tampoco nado pero sí voy mucho en bicicleta y juego al fútbol con el equipo de mi escuela...*

7 **Mueve la cabeza** `LA 3`

 Juega con tus compañeros: por turnos, os tenéis que dar intrucciones para realizar movimientos con las diferentes partes del cuerpo.

Levantad los brazos.

Girad la cabeza hacia la derecha.

levantar	mover
girar	apoyar
doblar	extender
poner	estirar
ponerse	apretar

8 **Pacientes** `LA 4`

Estas tres personas han acudido al servicio de urgencias de un hospital.
Escucha lo que le cuentan a la enfermera y toma nota de los síntomas.
¿Puedes decir cuál es su diagnóstico?

38-40

> intoxicación alimentaria   insolación   gripe
> reacción alérgica a un medicamento   fractura en la rodilla
> infección por picadura de insecto

PACIENTE 1

Nombre: Susana Apellidos: .... Edad: ......

Síntomas: ....
....

Operaciones: .... Alergias: ....
Medicación actual: ....
Diagnóstico: ....

PACIENTE 3

Nombre: Ernesto Apellidos: .... Edad: ......

Síntomas: ....
....

Operaciones: .... Alergias: ....
Medicación actual: ....
Diagnóstico: ....

PACIENTE 2

Nombre: Elvira Apellidos: .... Edad: ......

Síntomas: ....
....

Operaciones: .... Alergias: ....
Medicación actual: ....
Diagnóstico: ....

9 **Enfermo en otro país** `LA 5`

Este vocabulario te puede ser útil si te pones enfermo en un país de habla española.
Úsalo para completar las frases.

> medicamento   me he roto   me pican   el resfriado   el mareo   urgencias   unas gotas
> un golpe   me operaron   sangre   un dolor   un corte   me mareo

1. Tengo alergia al polen y .... mucho los ojos. Necesito ponerme .... ¿Me puede recetar algunas?

2. Me he caído y me he hecho .... en la rodilla. Me sale mucha .... Por favor, necesito ir a .... rápidamente.

3. Me he dado .... muy fuerte en la mano. Me duele muchísimo y no puedo moverla. Creo que .... la muñeca.

4. Tengo tos y un poco de fiebre. ¿Me puede dar algún .... para ....?

5. Tengo .... muy fuerte en la barriga y no puedo moverme. Pero no puede ser apendicitis, porque ya .... cuando era pequeño.

6. Cuando voy en coche o en avión .... un poco. Pero cuando voy en barco necesito tomar pastillas para ....

10 **Le pican los ojos** LA 5

A. Coloca estos elementos en una (o en varias) de las cajas.

los ojos   mareado
alergia al polen   cabeza
la garganta   la cabeza   dormir
el estómago   muelas
los pies   la gripe   diarrea
diabético   la penicilina
los lácteos   muy mal
un resfriado   bien
las muelas   barriga

tiene	tiene dolor de	tiene problemas para	le duele

es	se encuentra	es alérgico a	le duelen

B. ¿Puedes añadir alguna palabra más?

11 **Síntomas** LA 5

A. ¿Cuáles son los síntomas de estos problemas de salud?

síntomas
1. gripe	*Cuando tienes la gripe, te sientes fatal y tienes fiebre.*
2. otitis	
3. conjuntivitis	
4. alergia al polen	
5. apendicitis	
6. indigestión	
7. insolación	

B. Piensa en otros dos problemas de salud y descríbelos. Después lee tus frases a un compañero. Tiene que adivinar de qué problema se trata.

síntomas

12 **Me cuesta mucho dormir** LA 3

Lee los problemas de estas personas y escribe consejos para cada una de ellas.

> Me cuesta mucho dormir y por las mañanas me siento muy cansado. **1**

Acuéstate siempre a la misma hora y

....

....

> Últimamente estoy engordando muchísimo y eso que casi no como nada. **2**

....

....

....

> Estoy nervioso y de mal humor todo el día. **3**

....

....

....

> Soy nueva en la ciudad y me cuesta mucho conocer gente. **4**

....

....

....

> Tengo muchísimas espinillas, estoy feísima y me siento muy insegura: no quiero salir. **5**

....

....

....

> Tengo la piel muy sensible al sol y me quemo fácilmente. **6**

....

....

....

13 **Accidentes domésticos** LA 4

A. Relaciona cada elemento con la recomendación correspondiente.

los medicamentos   si tienes ventanas bajas   los interruptores   las escaleras   las pilas   si tienes niños

EN CASA, ¡NI UN ACCIDENTE!

La encuesta para la Detección de Accidentes Domésticos del Instituto de Consumo estima que en España cada año se producen más de un millón y medio de accidentes domésticos. Los grupos más vulnerables son los niños, especialmente los menores de 4 años, las mujeres y las personas mayores. Puedes reducir riesgos si sigues unos sencillos consejos:

....
Guárdalos en un lugar seguro, fuera del alcance de los niños.

....
Nunca los toques con las manos mojadas.

....
Protégelas con barrotes para evitar caídas.

....
No las bajes con las manos en los bolsillos ni corriendo.

....
Guárdalas bien. No las dejes al alcance de los niños.

....
Enséñales a recoger sus juguetes después de usarlos.

B. Aquí tienes otros consejos de seguridad. Complétalos usando los verbos entre paréntesis y los pronombres correspondientes en la posición adecuada.

Los insecticidas	La temperatura del agua	Los enchufes
No los utilices (**utilizar**) si hay personas cerca.	.... (**comprobar**) siempre antes del baño.	No .... (**sobrecargar**) conectando a la vez muchos aparatos.

La plancha	Suelo mojado	La instalación del gas
.... (**desenchufar**) si no la estás usando.	No .... (**pisar**) hasta que esté seco.	.... (**revisar**) periódicamente y cierra la llave de paso si no lo estás utilizando.

El suelo de la bañera	El extintor	
.... (**cubrir**) con algún material antideslizante.	.... (**tener**) siempre a mano.	

 14 **Me dirijo a su periódico para...** LA 5

A. Un lector ha escrito este email al director de un periódico local. ¿Te parece razonable su protesta?

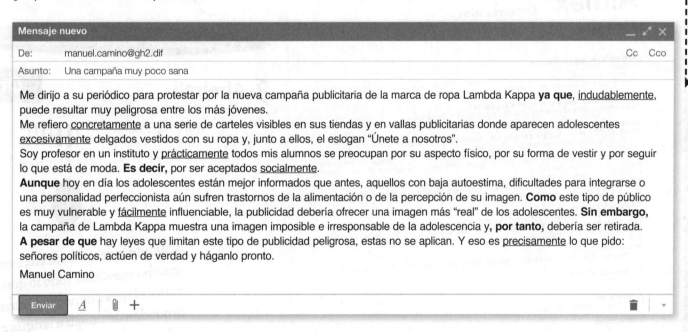

Mensaje nuevo — ↗ ×

De: manuel.camino@gh2.dif   Cc   Cco

Asunto: Una campaña muy poco sana

Me dirijo a su periódico para protestar por la nueva campaña publicitaria de la marca de ropa Lambda Kappa **ya que**, indudablemente, puede resultar muy peligrosa entre los más jóvenes.

Me refiero concretamente a una serie de carteles visibles en sus tiendas y en vallas publicitarias donde aparecen adolescentes excesivamente delgados vestidos con su ropa y, junto a ellos, el eslogan "Únete a nosotros".

Soy profesor en un instituto y prácticamente todos mis alumnos se preocupan por su aspecto físico, por su forma de vestir y por seguir lo que está de moda. **Es decir,** por ser aceptados socialmente.

Aunque hoy en día los adolescentes están mejor informados que antes, aquellos con baja autoestima, dificultades para integrarse o una personalidad perfeccionista aún sufren trastornos de la alimentación o de la percepción de su imagen. **Como** este tipo de público es muy vulnerable y fácilmente influenciable, la publicidad debería ofrecer una imagen más "real" de los adolescentes. **Sin embargo,** la campaña de Lambda Kappa muestra una imagen imposible e irresponsable de la adolescencia y, **por tanto,** debería ser retirada.

A pesar de que hay leyes que limitan este tipo de publicidad peligrosa, estas no se aplican. Y eso es precisamente lo que pido: señores políticos, actúen de verdad y háganlo pronto.

Manuel Camino

Enviar   _A_   0   +   🗑 |▾

 B. Busca una campaña publicitaria o algún otro tema de actualidad y escribe un email para protestar. Intenta usar conectores (**porque, ya que, como, a pesar de que, aunque, sin embargo**...) y adverbios terminados en **-mente**.

 15 **Productos "mágicos"** LA 8

 Después de hacer la actividad 8 de la página 57 del Libro del alumno, escribe un texto similar al de la página 56 sobre otro producto. Puedes buscar información en internet.

ASÍ PUEDES APRENDER MEJOR

16 **Un prospecto** `LA 5`

Mira este documento. Contiene muchas expresiones y vocabulario que no conoces. No obstante, sin leer el documento, solo echándole un vistazo, podrás responder a estas cuestiones. ¿En qué apartado buscarías para saber...

– si lo pueden tomar los niños?
– cuál es la dosis máxima?
– si lleva azúcar?
– si se fabrica también en supositorios o inyectables?

Posología
Adultos
Dos comprimidos masticados o disueltos en la boca después de las comidas y antes de acostarse. Si se presentan nuevamente molestias puede repetirse la dosis.
Niños
Para este grupo de edad, se recomienda el uso de la forma farmacéutica suspensión.

Sobredosis
Debido a que no se absorbe, son desconocidas intoxicaciones con este preparado. En caso de sobredosis o ingestión accidental, consultar al Servicio de Información Toxicológica. Teléfono (91) 562 04 20.

Reacciones adversas
No es frecuente la aparición de efectos secundarios. Raramente se han descrito diarreas que cedieron tras la supresión del preparado.
Si se observa cualquier otra reacción adversa no descrita anteriormente, consulte a su médico o farmacéutico.

Caducidad
Este medicamento no se debe utilizar después de la fecha de caducidad indicada en el envase.

Otras presentaciones
Almax suspensión, frasco de 225 ml.
Almax Forte, sobres, envase de 30 sobres.

Texto revisado: Diciembre 1995

Almax® Comprimidos

Almagato

Composición por comprimido:
Almagato (DCI) .... 0'5 g
Excipientes (manitol, polivinilpirrolidona, almidón de patata, sacarina cálcica, 0,003 g; glicirrizato amónico, estearato magnésico, esencia de menta).

Forma farmacéutica y contenido del envase
Comprimidos, para administración oral. Envase de 60 comprimidos.

Actividad
Almagato (DCI) es una sustancia sintetizada y patentada por Grupo Farmacéutico Almirall, S.A., único componente activo de la especialidad Almax.
Almagato ha demostrado, a través de su investigación en Farmacología y Farmacología Clínica, una potente y continuada acción neutralizante del ácido clorhidrico y una potente acción sobre la pepsina activa.
Además, Almagato ha demostrado una acción adsorbente y neutralizante de los ácidos biliares, cuando éstos refluyen al estómago. Esta triple acción condiciona a Almagato como un fármaco completo para todos los tipos de dispepsia.

Titular y fabricante
Titular: Grupo Farmacéutico Almirall, S.A. General Mitre, 151 08022 - Barcelona (España).
Fabricante: Industrias Farmacéuticas Almirall, S.L. Ctra. Nacional II, km. 593 08740 Sant Andreu de la Barca - Barcelona (España).

Indicaciones
Gastritis, dispepsia, hiperclorhidrias, úlcera duodenal, úlcera gástrica, esofagitis, hernia de hiato.

Contraindicaciones
No se han descrito.

Precauciones
Pacientes con insuficiencia renal.

Interacciones
No administrar conjuntamente con preparados de tetraciclina, fenotiazinas, digoxina, corticoesteroides, isoniazida y sales de hierro. Almax puede modificar la absorción o la excreción de estos medicamentos. La ingestión de Almax debe hacerse al menos una hora después de la administración de cualquier otro medicamento.

Advertencias
Embarazo y lactancia

Importante para la mujer
El consumo de medicamentos durante el embarazo puede ser peligroso para el embrión o el feto y debe ser vigilado por su médico. Si está usted embarazada o cree que pudiera estarlo, consulte a su médico antes de tomar este medicamento.

Efectos sobre la capacidad de conducción
Este medicamento no afecta a la capacidad de conducción ni al manejo de maquinaria.

Sin receta médica
Los medicamentos deben mantenerse fuera del alcance de los niños

 Almirall

Omega

G. M. 4252X - M2

Cuando leemos un texto, nos ayuda mucho movilizar todo lo que sabemos sobre el tema, conocimientos que proceden de nuestra lengua materna o de nuestro conocimiento del mundo. La apariencia gráfica del texto también nos da información que nos prepara para leer porque, gracias a ella, hacemos hipótesis sobre lo que vamos a encontrar en el texto.

Nuevos hábitos en tu país `LA 9`

Lee de nuevo el texto "A nuevos gustos, nuevos hábitos" de la página 57 del Libro del alumno. Y en tu país, ¿cómo son los hábitos alimentarios? ¿Están cambiando? Ahora, escribe tú un texto similar al que has leído.

Para preparar el texto haz una lista de temas que quieres tratar, subraya en el texto de la página 57 las cosas que también son válidas para tu país, haz un borrador, reléelo y corrígelo.

A la hora de escribir un texto es muy importante seguir algunos pasos. Primero hay que buscar las ideas o explorar el tema y, con ello, buscar el vocabulario que será necesario. Después hay que pensar en la organización de las ideas —las principales, las secundarias y los ejemplos concretos— y buscar los conectores que facilitan la lectura y la comprensión de esa jerarquía.

AUTOEVALUACIÓN

Te será muy útil escribir tus impresiones tras cada unidad. Puedes hacerlo tratando de responder a las siguientes preguntas.

1. ¿Qué palabras de esta unidad quiero recordar?

2. ¿Qué estructuras gramaticales me parecen más útiles?

3. ¿Qué problemas he tenido?

4. ¿Qué tipo de actividad me ha sido de mayor ayuda?

5. ¿Y cuál me ha ayudado menos? ¿Por qué?

6. ¿Qué puedo hacer para mejorar mi español hablado/escrito?

5

gente y cosas

1. **Primeras palabras.** Vocabulario útil para la unidad.
2. **Hábitos de lectura.** Obtener información de una encuesta. Géneros literarios y publicaciones escritas.
3. **Fotografías.** Ventajas y desventajas del formato digital.
4. **Plástico.** Buscar y parafrasear información de un texto.
5. **Yo estudie, tú estudies.** Conjugación regular e irregular del presente de subjuntivo.
6. **Busco a alguien que...** Contraste entre indicativo y subjuntivo en frases relativas.
7. **¿Cómo funciona?** Tipos de preguntas.
8. **Mi primera bicicleta.** Describir objetos. Uso de los pronombres átonos.
9. **Mis objetos preferidos.** Uso de los pronombres átonos.
10. **A ella la he visto, a él no.** Uso de los pronombres de objeto directo: orden y presencia/ausencia.
11. **Se lo ha regalado Ernesto.** Uso de los pronombres átonos: combinación de OD y OI.
12. **Cosas de casa.** Describir objetos. Pronombres relativos con preposición.
13. **¿De qué cosa hablan?** Detectar información fijándose en la concordancia.
14. **¿De qué está hecho?** Describir objetos: material, uso...
15. **Algo que sea reciclado.** Uso del presente de subjuntivo en frases relativas.
16. **A una isla desierta me llevaría...** Hablar de situaciones hipotéticas en condicional.
17. **Cosas a tu alrededor.** Localizar objetos en función del material del que están hechos.
18. **Se fabrica y se exporta.** Dar información sobre materiales y productos. Impersonalidad con **se**.
19. **¿Qué es?** Adivinanzas.
Agenda

1 2 3 4 5 6 7

Primeras palabras

1

A. En esta unidad te serán útiles estas palabras. ¿Conoces el significado de algunas? ¿Puedes relacionarlas con las imágenes?

material ......   envase ......   de tela ......   redondo ......   invento ......
de color negro ......   de madera ......   con batería ......   reciclable ......
energías renovables ......   de plástico ......   descubrimiento ......

B. Piensa en otras palabras que crees que te serán útiles para describir objetos y su funcionamiento.

② Hábitos de lectura `LA 1`

41-43

A. Varias personas responden a una encuesta sobre lectura. Escúchalos y completa la tabla con información sobre las cosas que les gusta leer, cuándo y dónde suelen hacerlo.

	¿Qué le gusta leer?	¿Cuándo?	¿Dónde?
Juan			
Marisa			
Luisa			

B. ¿Lees normalmente alguna de estas publicaciones? Escribe frases diciendo cuáles sí y cuáles no, y por qué. Si no sabes qué significan estos términos, búscalos en el diccionario o busca ejemplos de publicaciones reales en internet. Seguro que en tu país hay también publicaciones similares.

novelas   novelas históricas   novelas de misterio
libros de arte   libros de cocina   libros de...
revistas del corazón   revistas de informática   revistas de tendencias
períodicos   prensa deportiva
guías de viaje   biografías   ensayos   libros de poesía

Yo normalmente leo revistas de tendencias porque me gusta saber qué cosas están de moda.
Nunca leo libros de poesía.

③ Fotografías `LA 2`

Siguiendo el modelo de la actividad 2.A de la página 59 del Libro del alumno, anota las ventajas de las fotografías digitales y las de las fotos impresas. Luego, coméntalas con tus compañero.

Son más...
Las puedes ver...
Se las puedes regalar a...

④ Plástico `LA 3`

¿Entiendes el significado de las siguientes palabras? Localízalas en el texto de las páginas 60 y 61 del Libro del alumno e intenta explicarlas con tus palabras por escrito u oralmente a un compañero.

energía no renovable   embalaje   residuos   reciclar
contaminante   invernadero   impermeable

GENTE Y COSAS

 ejercicios

5 **Yo estudie, tú estudies** `LA 3`

Completa el cuadro con las formas que faltan del presente de subjuntivo. ¿Puedes formular una regla para recordar cómo se construye?

estudiar		leer		escribir	
indicativo	subjuntivo	indicativo	subjuntivo	indicativo	subjuntivo
estudio	estudie	leo		escribo	escriba
estudias		lees	leas	escribes	escribas
estudia	estudie	lee		escribe	
estudiamos		leemos	leamos	escribimos	
estudiáis		leéis		escribís	escribáis
estudian	estudien	leen		escriben	

tener		poder		querer	
indicativo	subjuntivo	indicativo	subjuntivo	indicativo	subjuntivo
tengo		puedo	pueda	quiero	
tienes	tengas	puedes	puedas	quieres	
tiene	tenga	puede		quiere	quiera
tenemos		podemos		queremos	queramos
tenéis	tengáis	podéis		queréis	
tienen		pueden	puedan	quieren	quieran

6 **Busco a alguien que...** `LA 3`

Relaciona las frases de la izquierda con su continuación correspondiente.

1. a. ¿Sabes el nombre de un restaurante que **esté** por aquí cerca?
   b. ¿Sabes el nombre de un restaurante que **está** por aquí cerca?

   ☐ Ese en el que comimos tan bien la otra vez.

   ☐ ¿Cuál me recomiendas?

2. a. Quiero contratar a un colaborador que **tiene** muchísima experiencia.
   b. Quiero contratar a un colaborador que **tenga** muchísima experiencia.

   ☐ He publicado un anuncio en una web de empleo. Estoy esperando candidatos..

   ☐ Ya he trabajado con él antes, y creo que es ideal para esta empresa.

3. a. Estoy buscando un profesor que **da** clase de nivel inicial.
   b. Estoy buscando un profesor que **dé** clase de nivel inicial.

   ☐ ¿Me puede recomendar alguno?

   ☐ Me lo ha recomendado mi hermana, que estudió aquí el año pasado.

4. a. Busco una novela que **trate** sobre la guerra civil española.
   b. Busco una novela que **trata** sobre la guerra civil española.

   ☐ Esa que ha tenido tanto éxito.

   ☐ Es que me apasiona el tema y quería leer algo.

¿Cómo funciona? `LA 4`
Imagina preguntas adecuadas
para estas respuestas.

> Con un
> tenedor.

> En el bolsillo
> izquierdo.

> ¿Con qué...?
> ¿De qué...?
> ¿Qué...?
> ¿Cómo...?
> ¿Dónde...?

> Unos zapatos
> para este vestido.

> Aprieta el
> botón rojo y luego
> el azul.

> De piel
> y de tela.

 Mi primera bicicleta `LA 4`
¿Recuerdas cómo era tu primera bicicleta? ¿Quién te la compró? ¿Y estas otras cosas?

reloj   ordenador   cámara fotográfica   mascota

instrumento musical   muñeca   CD de música   libro de español

Mi primera bici tenía cuatro ruedas, era verde y azul. Me la compraron mis padres a los seis años.

 Mis objetos preferidos `LA 4`
Seguramente en tu casa tienes algunas cosas por las que sientes
especial cariño o que son importantes para ti. ¿Dónde las guardas?
¿Quién te las regaló? ¿O las compraste tú mismo/a?

> tu libro preferido
> tu cuadro preferido
> tu bolígrafo preferido
> tu joya preferida
> tu pijama preferido
> tus zapatillas más cómodas
> tu perfume
> tu taza preferida
> tu sillón

Mis libros preferidos los tengo en una estantería, al lado de la cama.
Casi todos me los he comprado yo.

10 **A ella la he visto, a él no** `LA 5`
A. Lee las conversaciones y observa cuándo
aparecen los pronombres. Después reponde a
las preguntas de la tabla (✓).

¿Aparece el pronombre en...	sí	no
frases con OD después del verbo?		
frases con OD antes del verbo (OD determinado)?		
frases con OD antes del verbo (OD no determinado)?		
frases sin verbo?		

> ● ¿Has visto a los niños?
> ○ No, hoy no los he visto.

> ● ¿Has visto a los niños?
> ○ A Laura la he visto en el
>   jardín; a Pablo, no.

> ● Las maletas, ¿dónde las pongo?
> ○ Las puedes poner en mi cuarto.

> ● ¿Ya ha venido el técnico?
> ○ Sí, ha arreglado la lavadora y se
>   ha llevado el televisor.

> ● ¿Has visto a los niños?
> ○ He visto a Laura en el jardín.

> ● Y las maletas,
>   ¿dónde las pongo?
> ○ Ahí, con las cajas.

> ● ¿Ya ha venido el técnico?
> ○ Sí, la lavadora la ha arreglado
>   pero el televisor se lo ha llevado.

> ● ¿Dónde has dejado el abrigo?
> ○ ¿Abrigo? No llevaba.

> ● ¿Dónde tienes el coche?
> ○ Coche no tengo. La moto la he apar-
>   cado en el parking subterráneo.

 B. Comenta tus resultados con un compañero para ver
si habéis llegado a las mismas conclusiones.

GENTE Y COSAS

11 **Se lo ha regalado Ernesto** `LA 5`

A. Lee esta conversación y fíjate en las formas en negrita. ¿Puedes decir a qué se refieren? Después completa la regla.

● ¿Qué **le** (1) has regalado a Mario para su cumpleaños?

○ **Le** (2) he comprado un televisor 3D.

● ¡Ah! ¿Y qué ha hecho Mario con su televisor viejo?

○ **Se** (3) **lo** (4) ha regalado a Ernesto, como el suyo se estropeó...

● Y a Carlota, ¿**le** (5) has enviado ya la felicitación de Navidad?

○ ¡Claro! **Se** (6) **la** (7) he enviado esta mañana.

1. a Mario .... (OI)	5. .... (OI)
2. .... (OI)	6. .... (OI)
3. .... (OI)	7. .... (OD)
4. .... (OD)	

Cuando el pronombre **le** de OI se combina con los pronombres de OD **lo**, **la**, **los** y **las**

cambia su forma a ....

B. Ahora continúa la conversación con los pronombres adecuados.

● ¿Qué .... quieres comprar a tus sobrinos?

○ .... he comprado los libros de Pérez Reverte.

● ¡Pero si ya .... regalaste el año pasado!

○ Es verdad, entonces .... voy a dar a mi ahijada, todavía no .... he comprado nada.

● Y la tableta que pediste por internet, ¿ha llegado ya?

● Sí, ayer mismo, ... voy a regalar a mi mejor amigo.

12 **Cosas de casa** `LA 6`

A. ¿Qué estamos describiendo? Fíjate además en cómo utilizamos las preposiciones (**en, con, a, para**,...) en las frases de relativo.

1 Es un objeto **en el que** puedes colgar ropa, normalmente es de plástico o de madera y está en los armarios.	→	

2 Es una prenda de vestir **con la que** te proteges del frío. Puede ser de lana o de piel y suele ser larga.	→	

3 Son unos electrodomésticos de metal **en los que** ponemos la ropa sucia. Hay de varios tipos y a veces hacen mucho ruido.	→	

4 Son unas prendas de tela **con las que** te secas después de la ducha o del baño.	→	

B. Ahora describe tú cuatro de estos objetos, u otros que se te ocurran, utilizando las formas que acabas de ver.

¿De qué cosa hablan? `LA 7`

Escucha y toma notas. ¿De qué objetos pueden estar hablando? Coméntalo con tus compañeros: el género y el número de los adjetivos os pueden ayudar a descubrirlos.

44-46

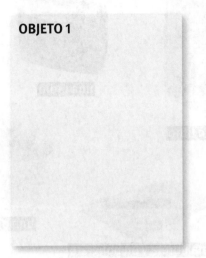
OBJETO 1

OBJETO 2

OBJETO 3

 ¿De qué está hecho? `LA 7`

A. Piensa en un objeto o en un aparato que uses todos los días. Escucha las preguntas y anota tus respuestas en función del objeto que has pensado.

47

B. Explica tus respuestas a tus compañeros. A ver si alguien puede adivinar de qué se trata.

Es de plástico y de metal y lo suelo llevar encima. Cabe en un bolsillo y...

 Algo que sea reciclado `LA 8`

Vamos a trabajar en grupos de cuatro: cada persona del grupo tiene que pedir tres o cuatro cosas a otros compañeros de la clase. El juego termina cuando un grupo consigue reunir las 12 cosas.

ALUMNO A
- una tarjeta de crédito o documento que (caducar) el año que viene
- algo que (ser) reciclado
- un objeto que (ser) un recuerdo de un viaje

ALUMNO C
- algo que (ponerse) normalmente en el pie
- un objeto que (servir) para abrir una puerta
- un libro que (tener) ilustraciones

ALUMNO B
- un objeto que (tener) un especial significado para su dueño
- algo que (ponerse) normalmente en los dedos
- un objeto que (servir) para hacer fotos.

ALUMNO D
- un objeto que (estar) hecho de metal
- algo que (servir) para proteger el móvil
- una bolsa que no (ser) de plástico

● ¿Tienes algo que sea reciclado?
○ Lo siento, pero no tengo.
● ¿Y un objeto que sea un recuerdo de un viaje?
○ Sí, ten esta pulsera que compré en Bali.

ejercicios

GENTE Y COSAS

A una isla desierta me llevaría... LA 9

A una isla desierta solo puedes llevarte tres de estas cosas.
Elige cuáles y comenta por qué con tus compañeros.

un ordenador

un teléfono móvil

un libro

una radio

un cuchillo

un encendedor

papel higiénico

una libreta y un bolígrafo

una olla

una sierra

una tienda de campaña

una manta

una tabla de madera

una cuerda

Yo me llevaría un teléfono porque así podría comunicarme con otras personas.

 Cosas a tu alrededor LA 9

 A. Mira a tu alrededor y escribe por lo menos dos cosas que ves en tu clase y que están hechas de...

1. madera: _____

2. metal: _____

3. papel: _____

4. algodón: _____

5. hierro: _____

6. vidrio: _____

7. cuero: _____

8. plástico: _____

9. _____: _____

10. _____ y _____: _____

 B. Pon en común tu lista y completa con las cosas que han escrito tus compañeros.

18 **Se fabrica y se exporta** `LA 9`

Elige tres de estos materiales o productos y escribe cuatro frases para cada uno de ellos usando algunas de estas expresiones. Puedes buscar información en internet.

lana
seda
plata
madera de caoba
cobre
tabaco
algodón
gasolina
hormigón
caucho
hierro
chocolate
cartón

se cultiva en
se produce en...
se obtiene de...
se fabrica en...
se extrae de...
se usa para...
se exporta a...
se necesita para...
se envía a...
se hace con...
se vende a /en...

El chocolate se cultiva en muchos países de Latinoamérica y Asia. Se exporta a todo el mundo. Se hace con las semillas de la planta de cacao.

19 **¿Qué es?** `LA 10`

¿A qué se refieren las siguientes adivinanzas?

1 Todos me buscan
para descansar,
si ya te lo he dicho
no lo pienses más.

2 Vivo en las calles,
tengo tres ojos;
todos me miran
si me ven rojo.

3 Sin ella en la mano
ni entras ni sales,
ni vas a la calle.

4 Llenos de agua,
llenos de vino,
sobre la mesa están
y son de cristal fino.

5 Tengo el cuerpo de madera,
mi cabeza es de metal
y mi afición verdadera:
golpear y golpear.

1. la silla 2. el semáforo 3. la llave 4. los vasos 5. el martillo

GENTE Y COSAS

ASÍ PUEDES APRENDER MEJOR

20 **Tabú** LA 10

Escribe descripciones de estas cosas sin utilizar las palabras que están entre paréntesis.

LLAVE (puerta/abrir/cerrar/cerradura)

Es una cosa pequeña de metal que necesito para entrar en mi casa. La llevo en el bolsillo...
....

PLAYA (sol/turismo/vacaciones/costa)

....
....
....

DESPERTADOR (despertarse/reloj/radio/hora)

....
....
....

TORTILLA (huevo/comer/patatas/plato)

....
....
....

LLUVIA (llover/agua/cielo/nube)

....
....
....

21 **Adivinamos palabras** LA 10

 A. Vas a escuchar a cuatro personas describiendo un objeto. Anota qué objeto es en cada caso y ponlo en común con tus compañeros.

48-51

 B. Ahora formad grupos y jugad siguiendo estas instrucciones:

> Cada grupo escribe en un papel la descripción de tres objetos de uso cotidiano (que no hayan aparecido en esta unidad, por ejemplo: "servilleta") y se lo pasa a otro grupo.
> ¡No escribáis el nombre del objeto!
> El grupo que recibe las descripciones las tiene que leer y, en menos de tres minutos, encontrar el nombre del objeto en español. Podéis usar internet, diccionarios...

Muchas veces no sabemos el nombre de algo o nos falta alguna palabra. Tenemos que desarrollar estrategias para compensar esta falta de vocabulario, como en este juego. Para hablar de una cosa sin decir su nombre podemos:
- decir qué forma tiene y de qué está hecha,
- decir para qué sirve,
- decir quién la usa o quién la lleva,
- mencionar una cosa parecida,
- decir el lugar donde podemos encontrarla, etc.

- "Es una cosa cuadrada, que está en la mesa, es de tela o de papel, lo usamos para limpiarnos cuando comemos. Es como una toalla, pero mucho más pequeña."
○ Eso es un pañuelo, ¿no?
- No, yo creo que un pañuelo es otra cosa.

AUTOEVALUACIÓN

Te será muy útil escribir tus impresiones tras cada unidad. Puedes hacerlo tratando de responder a las siguientes preguntas.

1. ¿Qué palabras de esta unidad quiero recordar?
....
....
....

2. ¿Qué estructuras gramaticales me parecen más útiles?
....
....
....

3. ¿Qué problemas he tenido?
....
....
....

4. ¿Qué tipo de actividad me ha sido de mayor ayuda?
....
....
....

5. ¿Y cuál me ha ayudado menos? ¿Por qué?
....
....
....

6. ¿Qué puedo hacer para mejorar mi español hablado/escrito?
....
....
....

6

gente con ideas

1. **Primeras palabras.** Vocabulario útil para la unidad.
2. **Anuncios radiofónicos.** Relacionar fragmentos de tres anuncios radiofónicos.
3. **Hablaré y sabrás.** Formas regulares e irregulares del futuro de indicativo.
4. **Ayuda profesional.** Vocabulario relacionado con las profesiones y sus actividades.
5. **Un día accidentado.** Organizar un relato sobre accidentes domésticos.
6. **Se me pinchó una rueda.** Contar anécdotas sobre problemas y accidentes. **Se me** para expresar involuntariedad.
7. **¿A quién tienen que llamar?** Problemas y los servicios profesionales correspondientes. Anuncios.
8. **Quiero ir a la moda. Querer** + infinitivo/subjuntivo.
9. **DOMO-BOT.** Tareas domésticas. **Querer** + infinitivo/subjuntivo.
10. **Negocios originales.** Empresas y servicios novedosos. Eslóganes. Futuro de indicativo.
11. **Mi experiencia como cliente.** Descripción de tus establecimientos habituales de antes y de ahora.
12. **De reparto.** Pronombres de OD: **lo, la, los, las.**
13. **Regalos para todos.** Pronombres de OD y de OI.
14. **La donación.** Pronombres de OD y de OI.
15. **Reformas en la oficina.** Recursos para dejar que otros decidan: **cuando/donde/a quien...** + subjuntivo.
16. **Distintos países, distintas costumbres.** Todo el mundo, la mayoría, mucha gente...

Agenda

Primeras palabras

A. ¿Conoces el significado de estas palabras? Relaciónalas con las imágenes.

anuncio ...... pedido ...... empresa ...... consumidor ......

cliente ...... servicio ...... producto ...... problema ......

establecimiento ...... negocio ...... emprendedor ......

B. Piensa tú en otras palabras que creas que pueden ser útiles para esta unidad y escríbelas.

2 **Anuncios radiofónicos** LA 2

A. Ordena los fragmentos de estos tres anuncios de GENTE SIN PROBLEMAS y relaciónalos con el anuncio al que corresponden.

Anuncio 1: GSP cuida de tu perro (...A... ....)
Anuncio 2: Los desayunos de GSP (....... ....)
Anuncio 3: El jardín de GSP (....... ....)

B Todo lo que necesites para un desayuno ideal, con solo una llamada telefónica o un SMS al 655 542 24 15.

A ¿Estás tan ocupado que no tienes tiempo para pasear a tu perro? gente sin problemas te ayuda a cuidar de tu mascota.

C para hacer un regalo? Entra en nuestra página web y podrás elegir el ramo de flores, la planta o el centro de flor seca que más te guste las 24 horas del día.

D a casa el pan, tus bollos preferidos, la leche y el café.

desde GSP 1981

GENTE SIN PROBLEMAS

E Te lo llevaremos a casa en pocos minutos o, si lo prefieres, lo entregaremos en la dirección que nos indiques.

F ¿Has olvidado comprar un ramo de flores para llevar a una cita? ¿Necesitas una planta

G Cada mañana o tarde, nuestros chicos irán a buscar a tu perro y lo llevarán

H a pasear por diferentes zonas. Incluso cuidarán de él si te vas de fin de semana o de vacaciones.

I ¿Te acabas de levantar y has visto que tienes la nevera vacía? No te preocupes. Te llevaremos

B. Escucha ahora los anuncios y comprueba si lo has hecho bien.

52-54

3 **Hablaré y sabrás** LA 2

Completa estas tablas.

regulares		
hablar	hablar-	é ás
comer	comer-	.... emos
escribir	escribir-	éis ....

irregulares		
decir	dir-	
....	har-	
haber	habr-	é
....	podr-	....
poner	pondr-	á
....	querr-	....
saber	sabr-	....
....	saldr-	án
tener	tendr-	

GENTE CON IDEAS

4 Ayuda profesional LA 2

A veces, cuando tenemos problemas, necesitamos que un profesional nos ayude.
Escribe qué actividades realizan cada uno de estos. ¿Puedes añadir otro?

1. fontanero: *reparar tuberías rotas* ....

2. (técnico) informático: ....

3. cerrajero: ....

4. carpintero: ....

5. mensajero: ....

6. canguro: ....

7. mecánico: ....

8. ....

5 Un día accidentado LA 2

El domingo fue un día muy movido para Arturo. A partir de las frases que te damos, reconstruye la historia de lo que pasó. Puedes añadir las expresiones o conectores que quieras para organizar el relato.

- Apagaron el fuego.
- Era la vecina de al lado, Susana.
- Estaba cocinando.
- Fue a casa del portero.
- Fue a su casa a ayudarla.
- La casa estaba llena de humo.
- Necesitaba ayuda.

- La puerta estaba cerrada.
- Llamó a su amiga Irene, que tiene llaves de su casa.
- Volvió a su casa.
- Se le había encendido el aceite de una sartén.
- Tenía un pequeño incendio en la cocina.

- No cogió las llaves.
- Volvió a casa de Susana.
- Tampoco estaba.
- Oyó el teléfono de su casa.
- No había nadie.
- Seguramente era Carolina.
- Y sonó el timbre...

El domingo, Arturo estaba tranquilamente en casa...

6 Se me pinchó una rueda [LA 3]

¿Cuándo fue la última vez que te pasó una de estas cosas? Completa la tabla y prepárate para contarles una de estas anécdotas a tus compañeros.

	¿Qué te pasó?	¿Dónde estabas?	¿Con quién?	¿Cómo te sentiste?	¿Cómo lo solucionaste?
Tener un pinchazo	Se me pinchó una rueda de la bici.	En Ibiza.	Estaba solo.	Agobiado.	Llevé la bici a un taller y repararon el pinchazo.
Tener un problema con la ropa, los zapatos...					
Tener un problema con el ordenador					
Tener un problema con el móvil					
...					

● La última vez que se me pinchó una rueda fue en Ibiza; yo estaba de vacaciones allí. Iba solo por la carretera en bici y de repente se me pinchó la rueda. Al principio estaba muy agobiado porque había quedado con mis amigos para cenar, pero pregunté a otro ciclista y me dijo que había un taller cerca. Llevé la bici...

Se me estropeó...
Se me rompió...
Se me cayó...
Se me mojó...

7 ¿A quién tienen que llamar? [LA 4]

55-60

Escucha a estas personas que tienen ciertos problemas o que necesitan ciertas cosas.
¿A cuál de las empresas anunciadas llamarán?

	Problema	Empresa
1.		
2.		
3.		
4.		
5.		
6.		

CAMELIA
Flores y plantas.
Entrega a domicilio.
Tel. 954 569 836

ASM CERRAJEROS
Rápidos y económicos
Más de 15 años de experiencia.
Abrimos todo tipo de puertas
Tel. 609 33 44 55

www.reparación.port.com
Reparación y venta de ordenadores portátiles para particulares y empresas
932 480 55 29

PEPE GOTERA
INSTALACIONES ELÉCTRICAS Y FONTANERÍA
Calefacción y gas.
Servicio de urgencias.
Tel. 689 893 308

FAST PIZZA
SERVICIO A DOMICILIO
ELABORACIÓN PROPIA
Pastas, pizzas y helados.
Tel. 956 263 774

AMBULANCIAS ESTEBAN
Servicio permanente las 24h.
Tel. 609 67 23 43

MEGALIMPIO
MANTENIMIENTO Y LIMPIEZAS INTEGRALES
Industriales y domésticas.
Empresas, comunidades de vecinos, hostelería.
Tel. 900 44 56 78

ASCENSORES LA TORRE
MANTENIMIENTO Y REPARACIONES
TEL. 902 323 233

TRANSPORTES, MUDANZAS Y GUARDAMUEBLES DON PÍO
Nacional e internacional.
Tel. 953 34 55 67

8 Quiero ir a la moda `LA 4`

A. Observa las dos frases con el verbo **querer** que hay en estos anuncios y completa la tabla. A continuación escribe en tu cuaderno la regla que se deduce sobre el uso de **querer** + infinitivo o subjuntivo.

EL CANGURO HISPANO

¿QUIERES QUE TU HIJO APRENDA ESPAÑOL?

Un/a joven cuidará a tu hijo en español. Tu hijo aprenderá de la forma más natural: ¡jugando! Podrás elegir la nacionalidad si estás interesado en algún país en especial.

✉☎ Contactar

EL CHEF ESPAÑOL

¿Quieres aprender a cocinar? En pocos días podrás hacer los mejores platos de la gastronomía española

TE ENSEÑAREMOS A HACER

paella
•
tapas
•
platos típicos regionales (cocina vasca, cocina gallega, cocina asturiana)

www.elchefespanol.gen

	¿Quién quiere?	¿Quién aprende?
¿Quieres aprender a cocinar?		
¿Quieres que tu hijo aprenda español?		

B. Ahora escribe frases similares para el resto de anuncios de la página 70 del Libro del alumno. Tus compañeros tienen que adivinar a qué servicio se refiere.

¿Quieres cambiar de imagen? ¿Quieres que te asesoremos?

9 DOMO-BOT `LA 4`

A. Imagina que la empresa BENDER 3.0 quiere fabricar un robot que haga ciertas tareas domésticas y te pide tu opinión para poder diseñar el primer prototipo. ¿Qué quieres que haga DOMO-BOT por ti? Escríbelo.

planchar
regar las plantas
preparar el desayuno
lavar los platos
hacer las camas
llevar las cuentas de la casa
sacar a pasear al perro
ir de compras
ordenar la ropa en los armarios

Yo quiero que DOMO-BOT planche, que prepare el desayuno y que riegue las plantas cuando estoy de vacaciones.

B. Poned en común vuestras ideas y decidid las cinco tareas más importantes que debe poder realizar DOMO-BOT.

10 **Negocios originales** `LA 5`

A. Inventa posibles empresas y diseña sus anuncios publicitarios. Crea eslóganes para describir sus servicios y sus ofertas usando el futuro.

– peluquería para niños
– catas a domicilio
– asistencia psicológica por chat
– caprichos millonarios
– alojamiento en sofás de lujo
– tiendas de venta de recetas e ingredientes
– preparación de excursiones en el campo
– ...

NANOCUT

¿TU NIÑO SE ABURRE EN CASA?

¡Tráelo a nuestra peluquería infantil! Le cortaremos el pelo y le contaremos cuentos en inglés. Tu peque podrá jugar con la consola mientras espera.

LUNADEVALENCIA

¿Eres un romántico/a empedernido? ¿Te faltan las palabras para expresar tu amor? Descarga nuestra aplicación y tendrás cientos de poemas de amor y de frases irresistibles para usar en tus mensajes. Envíale tu poema y conquistarás su corazón.

 B. Entre toda la clase elegiremos los mejores, los más originales y divertidos.

11 **Mi experiencia como cliente** `LA 5`

Piensa en cuatro establecimientos o empresas de las que eres o eras cliente. Escribe las razones por las que usas o usabas sus servicios.

> Yo iba mucho a un restaurante griego que se llamaba Mikonos. Se comía muy bien y barato.

12 **De reparto** `LA 5`

61-65

Andrés, el mensajero de GENTE SIN PROBLEMAS, habla con Ana, la encargada. ¿De qué pedidos están hablando? Fíjate en los pronombres OD que usan: **lo**, **la**, **los** y **las**.

1.
☐ unos medicamentos
☐ unas cervezas

2.
☐ unos pasteles
☐ una planta

3.
☐ unos libros
☐ unas bombillas

4.
☐ unos bocadillos
☐ unas pizzas

5.
☐ un pollo
☐ unas hamburguesas

13 **Regalos para todos** LA 6

Queremos hacer regalos a todos los compañeros y compañeras de la clase. En parejas, pensad en cuatro personas de la clase y elegid para cada una de ellas uno de los regalos de las imágenes y otro regalo más.

● La película *Ocho apellidos vascos* se la podemos regalar a Simon, ¿qué te parece?

○ De acuerdo. Le gustará porque siempre habla de cine, ¿no? ¿Y además de eso?

● Además de eso, le podemos regalar un libro de chistes.

 14 **La donación** LA 6

Un empresario millonario ha dejado en herencia sus pertenencias. Completa las frases con los pronombres adecuados.

a. Los cuadros .... ha dejado a Rosa.

b. El perro .... ha dejado a su hija.

c. La casa .... ha dejado a su mejor amigo.

d. Las joyas .... ha dejado a sus sobrinas.

e. El yate .... ha dejado a sus amigos.

15 **Reformas en la oficina** `LA 8`

Carolina quiere reformar la oficina y le propone varias ideas a su socio, Arturo. Este responde a todas sus propuestas dándole la razón. Escribe sus respuestas usando **cuando, donde, lo que, la que, el que, como, a quién...** + subjuntivo.

1. ¿Cuándo empezamos las obras? *Cuando tú quieras* ....

2. ¿Qué habitación pintamos primero? ....

3. ¿Cómo decoramos las paredes, con pintura o con papel? ....

4. ¿Qué colores elegimos? ....

5. ¿Qué hacemos con el sofá de la entrada? ....

6. ¿Dónde compramos la cafetera nueva? ....

7. ¿A quién le pedimos un presupuesto para la reforma? ....

16 **Distintos países, distintas costumbres** `LA 6`

A. ¿En tu país se hacen estas cosas? Contesta usando: **todo el mundo, la mayoría de personas, la mayor parte de los brasileños/italianos..., mucha gente, muchos jóvenes, casi nadie, nadie...**

1. Comer en el trabajo al mediodía: *Mucha gente come en el trabajo al mediodía, en la cantina de la empresa.*

2. Ir en bicicleta al trabajo: ....

3. Trabajar en casa: ....

4. Reciclar papel: ....

5. Tener un huerto: ....

6. Participar en voluntariado: ....

7. Llegar con puntualidad a las citas: ....

8. Beber alcohol en la calle: ....

9. Hablar varios idiomas: ....

10. Tener un título universitario: ....

11. Casarse joven: ....

12. Hacer un viaje de luna de miel: ....

13. Mudarse a otro país al jubilarse: ....

 B. Piensa en algunas costumbres relacionadas con el trabajo, la familia y las relaciones sociales que no estén en la lista anterior y completa con la información correspondiente a tu país o de otro país que conozcas bien.

En mi país...

todo el mundo ....

mucha gente ....

muchos jóvenes ....

casi nadie ....

nadie ....

 C. Comenta lo que has escrito con tus compañeros.

GENTE CON IDEAS

ASÍ PUEDES APRENDER MEJOR

Vocales

A. Fíjate en cómo suenan las vocales de estas palabras.

66

trabaja   gente   mini   modo
zulú   Ana   Elena   iris   oro
vudú   Panamá   bereber   brindis
zoológico   rumbo

B. Contesta a estas preguntas sobre lo que has oído.

1. ¿Cuántas vocales diferentes has detectado?

....

2. ¿Hay vocales largas y vocales cortas?

....

3. ¿Hay vocales que se pronuncian redondeando los labios? ¿Cuáles?

....

4. ¿Hay vocales que cambian durante su pronunciación como, por ejemplo, "bear" en inglés?

....

5. ¿Hay vocales que se pronuncian expulsando parte del aire por la nariz? Es decir, ¿hay vocales nasales?

....

C. Ahora responde a las preguntas anteriores pensando en tu idioma.

La tendencia natural es pronunciar las vocales de los idiomas que aprendemos según el sistema de nuestra lengua materna. Preguntarse cómo es el propio sistema y comparar con el del español nos ayudará a evitar interferencias.

Conocer bien las palabras

¿Hay palabras que no conocías y que has aprendido en esta unidad? Escribe unas cuantas y responde, para cada una de ellas, a estas preguntas en tu cuaderno.

1. ¿Crees que conoces más de un significado de esa palabra?

2. ¿Sabrías dar en tu lengua los distintos significados que conoces?

3. ¿Hay alguna particularidad de la palabra, aparte de su significado (como el cambio ortográfico de **feliz/felices**; como la combinación fija de la palabra con alguna preposición o una forma verbal, por ejemplo, **listo para** + infinitivo)?

4. ¿Conoces otras palabras relacionadas (**productor ⟶ producto, electricista ⟶ electricidad**)? ¿Cuántas?

5. ¿Hay alguna relación con palabras parecidas en tu lengua (misma forma y mismo significado, misma forma pero distinto significado)?

6. ¿Sabrías decir si se usa tanto en la lengua oral como en la escrita, o bien si es más propia de una de las dos?

Como ves, aprender una palabra es mucho más que conocer su significado.

Para recordar las palabras nuevas podemos utilizar algunas estrategias. Cada uno debe buscar sus propios trucos: anotar las palabras, procurar utilizarlas pronto, hacerse un pequeño diccionario personal, escribirlas con ejemplos de uso, relacionarlas con algo que ya se conoce, etc.

AUTOEVALUACIÓN

Te será muy útil escribir tus impresiones tras cada unidad. Puedes hacerlo tratando de responder a las siguientes preguntas.

1. ¿Qué palabras de esta unidad quiero recordar?
....
....
....

2. ¿Qué estructuras gramaticales me parecen más útiles?
....
....
....

3. ¿Qué problemas he tenido?
....
....
....

4. ¿Qué tipo de actividad me ha sido de mayor ayuda?
....
....
....

5. ¿Y cuál me ha ayudado menos? ¿Por qué?
....
....
....

6. ¿Qué puedo hacer para mejorar mi español hablado/escrito?
....
....
....

gente que
que
opina

1. **Primeras palabras.** Vocabulario útil para la unidad.
2. **Objetivos para el siglo XXI.** Vocabulario relacionado con el desarrollo.
3. **Problemas de nuestro siglo.** Relacionar información.
4. **Desde luego.** Recursos para mostrar acuerdo, duda, escepticismo o rechazo.
5. **¿Desaparecerán las epidemias?** Previsiones en futuro de indicativo. Especular: **yo (no) creo que** y **quizás**.
6. **El progreso.** Antes y ahora: imperfecto y presente de indicativo.
7. **¿Cualquier tiempo pasado fue mejor?** Actitudes sobre el futuro.
8. **Objetivos altruistas. Para** + infinitivo/subjuntivo.
9. **El precio de la vivienda.** Comentar problemas y proponer soluciones. **Para** + infinitivo/subjuntivo.
10. **¿De Chicago?** Recursos entonativos para expresar desacuerdo o escepticismo.
11. **Costumbres.** Comparar costumbres del pasado y del presente. **Seguir** + gerundio y **dejar de** + infinitivo.
12. **Continuidad.** Conectores discursivos.
13. **No creo que me case.** Recursos para expresar grados de probabilidad. Marcadores temporales de futuro. **Cuando** + subjuntivo.
14. **Política local.** Medidas para mejorar la vida en una ciudad.
15. **Partidos políticos.** Realidad política de España y Latinoamérica.
16. **Canción protesta.** Buscar información sobre canciones de este género.

Agenda

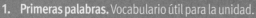

1 **Primeras palabras**

A. Aquí tienes algunas expresiones útiles para esta unidad. ¿Las conoces? ¿Puedes relacionarlas con las imágenes?

desarrollo..... sostenibilidad..... igualdad..... derechos humanos.....
nutrición..... enseñanza..... salud..... tecnología..... pobreza.....
hambre..... medio ambiente..... cooperación.....

B. ¿Conoces otras palabras en español que puedan ser útiles para esta unidad? Escríbelas en tu cuaderno.

2 **Objetivos para el siglo XXI** `LA 1`
Vuelve a leer el texto de la página 79 del Libro del alumno fijándote en los verbos. Luego cierra el libro e intenta completar estas palabras.

| e*rradicar* .... | la pobreza |
| el .... | el hambre |

con	trabajo digno para todos
l..............................	la enseñanza primaria universal
	el derecho universal a la salud reproductiva

| pro .... | la igualdad entre sexos/géneros |
| | el empoderamiento / la autonomía de la mujer |

| re............................. | la mortalidad infantil/materna/de los niños |

| m.............................. | la salud materna |

| c.............................. | el VIH |
| de .... | la malaria |

| ga............................. | la sostenibilidad del medio ambiente |
| | el desarrollo sostenible |

| fo............................. | una alianza |
| | una asociación mundial para el desarrollo |

| at............................. | las necesidades especiales de los países menos desarrollados |

GENTE QUE OPINA

3 **Problemas de nuestro siglo** LA 1

A. Estos son, según los expertos, algunos de los grandes problemas a los que se enfrenta el ser humano. Relaciona las afirmaciones con cada uno de los problemas.

1 hambre y pobreza **2** disminución de los recursos naturales **3** desigualdad de género

4 calentamiento global **5** analfabetismo **6** epidemias

☐ **a.** En muchos países, las mujeres no tienen los mismos derechos ni las mismas condiciones laborales que los hombres.

☐ **b.** En los últimos años han aparecido más de 30 nuevas enfermedades infecciosas que han causado un aumento de la mortalidad. Algunas se han convertido en pandemias.

☐ **c.** Las naciones industrializadas utilizan una proporción mucho más grande de materias primas presentes en la naturaleza que los países en vías de desarrollo.

☐ **d.** Muchas de las grandes crisis alimentarias se producen en países con un alto grado de riqueza. En ellos los más pobres pueden no tener suficientes recursos económicos para comprar alimentos de primera necesidad.

☐ **e.** Para poder acceder a un conocimiento básico de las leyes, tener posibilidades de mejora laboral y desarrollar un espíritu crítico con los sistemas es imprescindible tener acceso a la lectura y la escritura.

☐ **f.** El consumo de combustibles fósiles está causando un aumento de la temperatura de la tierra, lo que origina problemas como la subida del nivel del mar.

☐ **g.** El petróleo, carbón y gas natural son recursos no renovables, cuya extracción resulta cada vez más costosa y más agresiva con el medio ambiente.

☐ **h.** La discriminación de la mujer es consecuencia directa de algunos prejuicios y tradiciones sobre la función que deben tener en la sociedad.

B. En pequeños grupos, discutid sobre las afirmaciones del apartado anterior. ¿Estáis de acuerdo? Intentad buscar ejemplos a favor o en contra.

C. Pensad en otros problemas que hay que resolver durante este siglo. Buscad información de apoyo en internet y elaborad pequeñas descripciones como las anteriores. Después, podéis ponerlas en común con toda la clase y decidir cuál es vuestra lista de objetivos del milenio.

4 **Desde luego** LA 2

A. Clasifica en la tabla estas formas para reaccionar ante la opinión de otros.

Sí, es probable. | Sin duda. | (Yo) no lo creo. | No, de ninguna manera. | Desde luego.
Sí, puede ser. | No, no, en absoluto. | Sí, claro. | No estoy muy seguro/a de eso. | No, qué va.
Sí, yo también lo creo. | No, no puede ser.

Mostrar acuerdo	Mostrar duda o escepticismo	Mostrar rechazo
Sin duda.		

B. Vas a oír algunas opiniones sobre los temas que aparecen en la página 79 del Libro del alumno. Reacciona, según tus propios puntos de vista, usando alguna de las anteriores expresiones.

67-74

1. .... 3. .... 5. .... 7. ....

2. .... 4. .... 6. .... 8. ....

5 **¿Desaparecerán las epidemias?** `LA 2`

A. ¿Puedes imaginar cómo evolucionarán las cuestiones que te planteamos? Completa las frases usando los siguientes verbos.

aumentar

empeorar

mejorar

desaparecer

cambiar

sustituirse por

sustituir a

continuar siendo/existiendo

eliminarse

provocar

aparecer

1. Las energías limpias *sustituirán a las tradicionales* .

2. El clima de la Tierra ....

3. La desigualdad entre hombres y mujeres ....

4. La familia tradicional ....

5. Los nacionalismos ....

6. La democracia ....

7. Los movimientos pacifistas ....

8. El fanatismo religioso ....

9. El trabajo infantil ....

10. Las relaciones entre las diferentes culturas ....

11. El control de la natalidad ....

12. Las epidemias ....

13. Los trasplantes de órganos ....

B. Construye reacciones a la primera afirmación del apartado anterior relacionando estos tres inicios de frase con sus posibles continuaciones.

| | □ sí las sustituirán. De hecho, creo que ya está sucediendo en el caso de la energía solar. |

□ las sustituyan, porque seguiremos dependiendo del petróleo.

1. Yo creo que
2. Yo no creo que
3. Quizás

□ suceda eso, pero no en un futuro inmediato.

□ eso pase, pero no sé... Soy muy pesimista sobre esa cuestión.

□ eso será una realidad pronto.

□ sustituyan a muchas de ellas, pero no a todas.

C. Pon en común tus previsiones del apartado A con tus compañeros. Ellos reaccionarán.

6 **El progreso** LA 3

¿Qué cosas ha cambiado el progreso? Piensa en cómo se hacían las cosas antes y en cómo se hacen ahora. Puedes escribir sobre estos temas u otros.

– Los transportes
– La salud
– La educación
– La comunicación
– La familia

Antes muy poca gente viajaba de Europa a América, y lo hacía en barco. Ahora viaja mucha más gente, y lo hace en avión.

7 **¿Cualquier tiempo pasado fue mejor?** LA 4

A. Aquí tienes ocho actitudes frente al futuro que han sido detectadas en un estudio sobre la personalidad. Marca con cuál o cuáles te identificas más. ¿Por qué?

☐ **EL FATALISTA:** el que afirma que no debemos malgastar nuestro tiempo en preocuparnos sobre el futuro porque lo que tenga que ser, será.

☐ **EL CONVENCIONAL:** el que suele creer que el mañana será algo parecido al hoy.

☐ **EL IDEALISTA:** el que piensa que la humanidad progresa constantemente y cree que en el futuro seremos más justos, más respetuosos con el mundo y viviremos mejor.

☐ **EL FUTURISTA:** el que utiliza la idea del futuro ideal y tecnológico como una huida del presente, que le parece aburrido o insoportable.

☐ **EL RUPTURISTA:** el que asegura que el futuro no tendrá nada que ver con el hoy.

☐ **EL OPTIMISTA:** el que tiene una gran confianza en el progreso y cree que la tecnología lo mejorará todo.

☐ **EL PESIMISTA:** el que no piensa que el futuro traiga nada bueno y prefiere pensar que cualquier tiempo pasado fue mejor.

☐ **EL ACTIVISTA:** el que cree que el futuro empieza ahora mismo y quiere ser protagonista de su creación.

B. Pon en común tu perfil con el de dos compañeros.

8 **Objetivos altruistas** LA 5

A. Relaciona las siguientes frases con su continuación lógica.

Las mujeres trabajadoras de muchos países luchan...

Los organismos educativos luchan...

Los científicos exigen más dinero público...

Las ONG sanitarias recaudan fondos...

Hay que invertir más en investigación médica...

Los ecologistas se manifiestan regularmente...

para que todos los niños estén alfabetizados.

para conseguir la igualdad de derechos laborales.

para realizar estudios sobre nuevos materiales.

para que los países más pobres reciban atención médica.

para que los gobiernos prohíban las industrias contaminant◄

para acabar con las pandemias.

B. Fíjate en los verbos que van después de **para**. ¿Cuándo se trata de infinitivo y cuándo de un verbo en subjuntivo? Coméntalo con tu compañero y completa la regla.

En frases con sujetos diferentes: **para** + ...

En frases con el mismo sujeto o con sujetos genéricos: **para** + ...

9 **El precio de la vivienda** LA 5

A. Piensa en los tres problemas más graves que tiene actualmente tu país. ¿Están relacionados con alguno de estos asuntos? Puedes añadir nuevos temas.

· El paro	· La desigualdad entre hombres y mujeres	· La sanidad pública
· La desigualdad económica	· El racismo	· El precio de la vivienda
· La delincuencia	· El fanatismo político o religioso	· La violencia de género
· La contaminación	· Los impuestos	· La disminución de los servicios sociales
· La corrupción de los políticos	· La emigración	· La integración de los inmigrantes

....

B. Escribe soluciones para esos tres problemas y los objetivos que esperas conseguir. Puedes usar las estructuras **para** + infinitivo o **para** + **que** + subjuntivo, como en el ejemplo. Tus compañeros te dirán si están de acuerdo o no con tus soluciones y tus objetivos esperados.

El gobierno tiene que construir más viviendas públicas para que bajen los precios y todas las personas paguen menos por su vivienda.

10 **¿De Chicago?** LA 6

 75

A. Escucha la grabación y fíjate en qué recurso usan las personas para mostrar su desacuerdo o escepticismo sobre lo que dice su interlocutor.

 76

B. Escucha luego la segunda parte de la grabación y trata de hacer lo mismo para mostrar tu desacuerdo o tu escepticismo.

11 **Costumbres** LA 5

Estas son las costumbres que tenía Manuela Vega hace 20 años y las que tiene ahora. ¿Qué cosas sigue haciendo (o sigue sin hacer)? ¿Qué cosas ha dejado de hacer?

Sigue jugando al tenis, pero ha dejado de montar a caballo.

Actualmente

– Juega al tenis.
– Estudia japonés.
– No le gusta volar.
– Lleva ropa clásica negra y faldas largas.
– Sale con Genaro.
– Vive en Sevilla, en el barrio de Santa Cruz.
– Trabaja en una tienda de ropa.
– No está casada.

Hace 20 años

– Hacía mucho deporte: jugaba al tenis, montaba a caballo...
– Estudiaba inglés, japonés y ruso.
– No le gustaba volar.
– Llevaba faldas cortas y ropa negra.
– Salía con Arturo.
– Vivía en Sevilla, en el barrio de La Macarena.
– Trabajaba para una multinacional.
– No estaba casada.

GENTE QUE OPINA

12 **Continuidad** LA 7

Relaciona las siguientes frases con su continuación lógica. Fíjate en las expresiones destacadas, que sirven para introducir conclusiones, contraponer informaciones, añadir puntos de vista...

1. En el año 2035 los robots harán la mayor parte de todos los trabajos.
   ☐ **Así que** podremos dedicar más tiempo al ocio.
   ☐ **Ahora bien,** podremos dedicar más tiempo al ocio.

2. En el salón de nuestra casa podremos ver películas de cine en tres dimensiones.
   ☐ **Ahora bien,** los nostálgicos seguirán viendo películas en 2D en cines y filmotecas.
   ☐ **De hecho,** los nostálgicos seguirán viendo películas en 2D en cines y filmotecas.

3. A mediados de siglo ya no habrá enfermedades contagiosas.
   ☐ **Sin embargo,** dependeremos menos de las medicinas.
   ☐ **Así que** dependeremos menos de las medicinas.

4. Antes del año 2050 será muy fácil viajar por el espacio.
   ☐ **Incluso** las personas que no son ricas podrán hacerlo.
   ☐ **Además,** las personas que no son ricas podrán hacerlo.

13 **No creo que me case** LA 8

A. ¿Cómo ves tu futuro? ¿Crees que te pasarán estas cosas? Completa y transforma las frases indicando diferentes grados de probabilidad y usando marcadores temporales.

estoy seguro de que...	el año que viene
tal vez...	en un par de años
es probable que...	pronto
no es probable que...	nunca
puede ser que...	dentro de muchos/... años
no creo que...	cuando tenga ... años

1. Me cansaré de estudiar español. ⟶ *Es probable que en un par de años me canse de estudiar español.*

2. Podré dejar de trabajar. ⟶ ....

3. Me tomaré tres meses de vacaciones. ⟶ ....

4. Encontraré al hombre / a la mujer de mi vida. ⟶ ....

5. Hablaré muy bien español. ⟶ ....

6. Encontraré un trabajo mejor. ⟶ ....

7. Trabajaré desde mi casa. ⟶ ....

8. Me iré a vivir al extranjero. ⟶ ....

9. Tendré un hijo. ⟶ ....

10. Me casaré. ⟶ ....

11. Me cambiaré de casa. ⟶ ....

12. Tendré más tiempo libre. ⟶ ....

B. ¿Qué harás cuando sucedan estas cosas?

Cuando me canse de estudiar español, empezaré a estudiar portugués.

14 Política local LA 10

Imagina que has sido elegido alcalde de tu ciudad. ¿Qué medidas vas a adoptar? Elige ocho de estas u otras, las que creas más urgentes, y escribe una declaración para tus conciudadanos.

- plantar más árboles
- bajar los precios del transporte
- construir más hospitales
- animar la vida cultural de la ciudad
- prohibir el tráfico de coches en algunas calles
- mejorar el sistema de reciclaje de basuras
- crear más carriles para las bicicletas

- construir viviendas baratas para jóvenes y parados
- cerrar...
- prohibir...
- construir...
- mejorar...
- seguir apoyando...
- dejar de hacer...
- seguir sin...

> Queridos conciudadanos y conciudadanas:
>
> Quiero, antes que nada, daros las gracias por haberme elegido para ser vuestro alcalde. Hoy empieza una nueva época en nuestra ciudad. Durante estos próximos cuatro años...

15 Partidos políticos LA 10

¿Conoces cuál es la realidad política de España o de los países de Latinoamérica? Vamos a aprender un poco más. En grupos, elegid un país y buscad en internet información sobre el sistema político de ese país, los partidos políticos principales, los movimientos sociales o plataformas cívicas a favor o en contra del sistema, etc. Después podéis hacer una pequeña presentación a vuestros compañeros.

16 Canción protesta LA 11

En español, como en todas las lenguas, la música se usa para protestar sobre los problemas de un país o del mundo y para promover los cambios. Busca en internet canciones protesta de España o de Latinoamérica, escoge una y preséntala a tus compañeros. Prepara una ficha con estos puntos.

> Título de la canción:
> Autor:
> Año:
> País:
> La letra habla de:
> Elementos culturales:
> ...

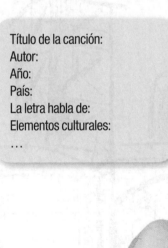

ASÍ PUEDES APRENDER MEJOR

17 **Relaciones entre ideas** `LA 12`

A. Lee las frases y fíjate en las tres expresiones señaladas. ¿Las entiendes?

En la última cumbre internacional sobre el cambio climático, las grandes potencias no llegaron a ningún acuerdo sobre la reducción de emisiones de CO_2; **por tanto**, los países industrializados tendrán cuatro años más, hasta la próxima reunión, para reformar sus industrias más contaminantes.

Sabemos que este pesticida es perjudicial para la salud; **por tanto** debemos prohibirlo inmediatamente.

Es un país en vías de desarrollo. **No obstante**, sus industrias son competitivas y tiene una gran estabilidad política.

Este producto contamina mucho. **No obstante**, en algunos países aún no está prohibido.

Las leyes son ahora más duras; y los jueces, más severos. **De ahí que** muchas industrias estén controlando mejor sus residuos.

Es un material más barato que el papel. **De ahí que** se use para productos destinados al uso masivo.

B. Ahora responde a estas preguntas sobre cada uno de los conectores anteriores.

1. ¿Qué tipo de relación expresa?
2. ¿Cómo dices lo mismo en tu lengua?
3. ¿Dónde se encuentra más fácilmente: en la lengua familiar y coloquial o en la lengua culta?
4. ¿Dónde se coloca?

Cuando nos encontramos con expresiones como estas, debemos hacernos preguntas para entender su significado y poder usarlas de forma apropiada:
- en qué lugar del texto aparece,
- qué cosas pone en relación,
- con qué otras palabras o cuestiones gramaticales está relacionada,
- a qué tipo de registro o nivel de lengua pertenece.

En tu contacto con el español —con nativos o con textos auténticos— encontrarás inevitablemente muchas cosas nuevas, que no has estudiado. Buscar explicaciones para entenderlas es muy rentable. De hecho, es indispensable para seguir aprendiendo fuera del aula.

AUTOEVALUACIÓN

Te será muy útil escribir tus impresiones tras cada unidad. Puedes hacerlo tratando de responder a las siguientes preguntas.

1. ¿Qué palabras de esta unidad quiero recordar?
....
....
....

2. ¿Qué estructuras gramaticales me parecen más útiles?
....
....
....

3. ¿Qué problemas he tenido?
....
....
....

4. ¿Qué tipo de actividad me ha sido de mayor ayuda?
....
....
....

5. ¿Y cuál me ha ayudado menos? ¿Por qué?
....
....
....

6. ¿Qué puedo hacer para mejorar mi español hablado/escrito?
....
....
....

8 gente con carácter

1. **Primeras palabras.** Vocabulario útil para la unidad.
2. **Yo conozco a alguien así.** Descripción del carácter.
3. **¿Qué le pasa?** Estados de ánimo. **Estar** + adjetivo / grupo nominal.
4. **¿Eres celoso?** Descripción del carácter y de estados de ánimo. Combinaciones léxicas con **estar** y **tener**.
5. **Es un poco despistado.** Uso de **poco** / **un poco** + adjetivo.
6. **La felicidad es...** Frases célebres, refranes, etc. sobre diferentes temas.
7. **Flechazo.** Relacionar palabras con sus definiciones.
8. **Tiene razón.** Relacionar textos con opiniones. Expresar la propia opinión.
9. **Problemas de relación.** Historias sobre relaciones personales. Adjetivos para describir el carácter.
10. **En la primera cita.** Dar consejos. **Es** + adjetivo + infinitivo / subjuntivo.
11. **Para tener éxito.** Dar consejos. **Es** + adjetivo + infinitivo / subjuntivo.
12. **Cómo acaba.** Relacionar opiniones con sus finales. Recursos para valorar.
13. **La convivencia no es fácil.** Recursos para describir relaciones entre personas y expresar sentimientos.
14. **Lo que tienes que hacer.** Recursos para aconsejar con infinitivo y subjuntivo.

Agenda

① Primeras palabras

A. Aquí tienes algunas expresiones útiles para esta unidad. ¿Las conoces? ¿Puedes relacionarlas con las imágenes?

estar estresado/a ..... estar enamorado/a ..... estar de buen humor .....
llevarse bien ..... tener miedo ..... tener celos .....
estar enfadado/a ..... dar pena ..... tener hambre .....

B. ¿Conoces otras palabras en español que puedan ser útiles para esta unidad? Escríbelas en tu cuaderno.

2 **Yo conozco a alguien así** `LA 1`

¿Conoces a personas que respondan a las siguientes descripciones? Escribe sus nombres.

....	....	....	....
Se pone nervioso/a cuando tiene que tomar decisiones.	Discute con alguien todos los días.	Es una persona muy equilibrada psicológicamente hablando.	Se lleva bien con todo el mundo.

3 **¿Qué le pasa?** `LA 1`

A. Habla con tus compañeros sobre cómo se siente Guillermo, el chico de las fotos.

de buen/mal humor   decepcionado   asustado   indeciso   contento

nervioso   preocupado   triste   harto   enfadado   sorprendido   tranquilo

1

Está sorprendido.

2

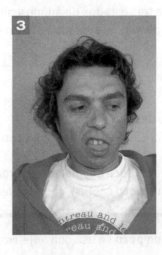

3

4

5

6

B. Y tú, ¿eres expresivo? Simula algún sentimiento o algún estado de ánimo. Tus compañeros deberán adivinar qué te pasa.

4 **¿Eres celoso?** LA 1

A. Clasifica en la tabla las siguientes expresiones según el verbo con el que se utilicen.

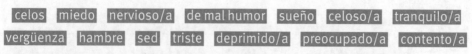

celos   miedo   nervioso/a   de mal humor   sueño   celoso/a   tranquilo/a
vergüenza   hambre   sed   triste   deprimido/a   preocupado/a   contento/a

estar	tener

B. Escoge tres estados de ánimo y piensa una situación para cada uno. Léesela después a tu compañero. ¿Puede adivinar qué estado anímico o físico estás describiendo?

● Le ha tocado la lotería, ha encontrado un trabajo muy bien pagado y ha conocido a una persona que le encanta.
○ ¿Está muy contento?

5 **Es un poco despistado** LA 1

Observa la diferencia entre **poco** y **un poco.** Después, rodea las opciones correctas para formar la regla de uso.

Alberto es **un poco** despistado, ¿verdad?   Laura es **poco** comunicativa, ¿no?
María es **un poco** caótica, ¿no te parece?   Carlos es **poco** simpático, ¿no crees?

> **Poco / un poco** se usa con adjetivos con significado positivo.
>
> **Poco / un poco** se usa con adjetivos con significado negativo.

6 **La felicidad es...** LA 2

A. Escoge un tema (la amistad, los celos, la culpa, la felicidad, etc.) y busca en internet frases célebres, proverbios, refranes o dichos. También puedes crear tus propias frases.

B. Entre todos decidid cuáles son las mejores y elaborad un póster.

No existe la felicidad que viene de afuera; tienes que encontrarla en ti mismo.

Beethoven

7 **Flechazo** `LA 3`

Estas palabras aparecen en los textos de la página 91 del Libro del alumno. Relaciona cada una con su definición. Puedes volver a leerlas en contexto si lo necesitas.

1 enajenación	**2** flechazo	**3** frenesí	**4** imprevisible

5 exasperar	**6** fugaz	**7** desconcertante

fig. y fam. Amor que se concibe o se inspira rápidamente.

fig. Exaltación violenta del ánimo. Delirio furioso.

fig. De duración muy corta. Que huye o desaparece con velocidad.

adj. Que no puede saberse o conocerse con anticipación.

fig. Acción y efecto de sacar a uno fuera de sí, turbarle la razón. / Acción y efecto de producir asombro o admiración.

fig. Irritar, enfurecer, dar motivo de enojo grande.

fig. Que sorprende. Extraño, inaudito.

8 **Tiene razón** `LA 3`

A. Algunas personas que han leído los textos de la página 91 han expresado estas opiniones. ¿A qué texto se refiere cada una? Márcalo (✓).

	"Amor y pasión"	"Ellos y ellas"
1. "Pues yo no creo que los hombres y las mujeres seamos tan diferentes."		
2. "Bueno, a veces dura poco, pero otras veces me parece que puede durar toda la vida."		
3. "A mí me gustan hombres muy distintos y ninguno se parece a los que conocí de niña."		
4. "Tiene razón: siempre nos sorprende más una persona que no tiene nada que ver con nosotros."		
5. "Yo creo que no hay nada más fácil de entender que un hombre. Además, todos son iguales."		
6. "Pues si todo es química, habría que inventar una medicina para curarse."		

 B. De las seis opiniones del ejercicio anterior, escoge una con la que no estés de acuerdo y escribe por qué.

GENTE CON CARÁCTER

9 **Problemas de relación** LA 3

A. Aquí tienes tres historias sobre relaciones personales.
Escucha con atención y completa las frases con los nombres.

1

– ...., ... y .... viven juntos.

– .... son íntimos amigos.

– .... y .... llevaban muchos años
juntos como pareja sentimental.

– .... ha dejado a .... y ahora sale con
....

– .... está embarazada de ....

– Cuando nazca el bebé .... y ....
seguirán siendo pareja. Y .... está de
acuerdo.

2

– .... y .... hace poco tiempo que se
han casado.

– .... ha encontrado un buen trabajo.

– .... se deprime porque no trabaja y no
puede llevar dinero a casa.

3

– .... está enfadado con su hijo. Y ....
está enfadado también con su padre.

– A .... no le gustan los *piercings*, los
pendientes ni los tatuajes, pero para ....
son un estilo de vida.

– .... tuvo problemas con su padre cuando se
dejó el pelo largo.

B. ¿A cuáles de las personas anteriores les aplicarías los siguientes adjetivos?
¿Por qué? Discútelo con dos compañeros.

generoso/a   egoísta   comprensivo/a   irresponsable   idealista   sincero/a   responsable
intolerante   anticuado/a   moderno/a   tozudo/a   inseguro/a

C. ¿Recuerdas alguna historia parecida? Toma notas sobre los hechos más importantes, busca
el vocabulario que necesitas y escríbela. Después puedes leérsela a tus compañeros.

10 **En la primera cita** `LA 5`

A. La revista *El Cosmopolita* ha publicado este artículo. ¿Estás de acuerdo con todo lo que dice?

LOS 8 CONSEJOS BÁSICOS PARA UNA PRIMERA CITA

1 Es importante ponerse guapo, pero sin abusar del perfume o de la colonia.

2 Es necesario lavarse los dientes y no comer ajos ni fumar: a la otra persona quizás no le guste el olor.

3 Es aconsejable que el chico lleve dinero suficiente para invitar a la chica.

4 No es necesario que le cuentes todo sobre ti en la primera cita, pero sí que te muestres como una persona segura y con carácter.

5 Es mejor que no hables de tus ex y, sobre todo, no hagas comparaciones.

6 Para ganar la confianza de la otra persona es útil hablar de asuntos personales, de la infancia, mostrar en general una imagen sincera.

7 También es recomendable no decirle que te gusta: espera que la otra persona lo diga primero.

8 Y, para terminar, es bueno dejar que él o ella te llame por teléfono al día siguiente. Así la responsabilidad no recae sobre ti.

B. Ahora, subraya todas las construcciones **es** + adjetivo + infinitivo y rodea con un círculo todas las construcciones **es** + adjetivo + **que** + presente de subjuntivo.

C. Escribe dos consejos más para una primera cita.

Es importante que ....

....

Es aconsejable que ....

....

11 **Para tener éxito** `LA 5`

A. En parejas, escoged uno de los siguientes temas y escribid cinco o seis consejos prácticos.

– Consejos para tener éxito en una entrevista de trabajo
– Consejos para salir de una depresión
– Consejos para tener éxito social
– Consejos para organizar una buena fiesta
– Consejos para la primera visita a los suegros
– Consejos para llevarse bien con los vecinos

B. Después se los vais a leer al resto de la clase. A ver si todo el mundo está de acuerdo con vosotros.

GENTE CON CARÁCTER

 Cómo acaba `LA 6`

80

Vas a oír a varias personas que hablan sobre los viajes en avión, pero el final de sus opiniones se ha borrado. ¿Puedes señalar cuál de estos finales corresponde a cada una?

1.
- ☐ ...cuando los aviones se retrasan y tengo que esperar.
- ☐ ...que se retrasen los aviones y tener que esperar.

2.
- ☐ ...hacer mal tiempo y moverse mucho el avión.
- ☐ ...si hace mal tiempo y el avión se mueve mucho.

3.
- ☐ ...los billetes de avión ser tan caros.
- ☐ ...que los billetes de avión sean tan caros.

4.
- ☐ ...estar tan lejos del suelo y no saber qué hacer en caso de emergencia.
- ☐ ...que esté tan lejos del suelo y no sepa qué hacer en caso de emergencia.

5.
- ☐ ...si viajo mucho y me puede pasar algo.
- ☐ ...que yo viaje tanto y me pueda pasar algo.

 La convivencia no es fácil `LA 6`

A. Estos cuatro amigos viven juntos, pero tienen algunos problemas de convivencia. Lee los textos y escribe todos los problemas que imagines que pueden tener.

PEPE
Le gusta muchísimo ver fútbol en la televisión; es del Real Madrid. Fuma mucho y le gusta comer hamburguesas y escuchar música hasta muy tarde. Es bastante tacaño en los gastos de la casa. Los animales, según él, deben vivir en el campo.

ALEJANDRO
Es un gourmet y un excelente cocinero, pero nunca friega los platos. Le encanta hacer fiestas en casa con muchos amigos y ver películas de miedo y los partidos del Barça en la televisión. Odia el olor del tabaco.

RICARDO
Es muy despistado: siempre se olvida de pagar su parte del alquiler y de limpiar el cuarto de baño cuando le toca. Tiene un perro, Bafú, al que le encanta comer hamburguesas crudas. Es bastante miedoso y nunca sale de casa sin su perro.

JOAQUÍN
Es el más sano de todos: solo come verduras y fruta. No le gusta nada la tele, sobre todo cuando ponen fútbol, y es un maniático del orden y de la limpieza. Se pasa horas al teléfono hablando con novias y amigos. Se acuesta todos los días muy pronto y no soporta el ruido.

a. Pepe se enfada cuando el perro de Ricardo *se come sus hamburguesas.* ....

b. Joaquín se pone nervioso si Ricardo ....

c. A Ricardo le da miedo cuando Alejandro ....

d. A Alejandro le da rabia que Pepe ....

e. Joaquín no soporta que Pepe ....

f. ....

B. Imagina que vives con Pepe, Alejandro, Ricardo y Joaquín desde hace unos meses. ¿Qué crees que podrías decir sobre tu relación con ellos? Completa estas frases y escribe otras.

Me da lástima que ....

Me pongo muy contento/a cuando ....

Me enfado cada vez que ....

Lo paso muy mal cuando ....

Me da un poco de rabia que ....

Me pongo bastante nervioso/a si ....

No me gusta que ....

....

....

14 **Lo que tienes que hacer** `LA 7`

A. Lee los consejos que reciben estas seis personas y escribe cómo contaron sus problemas.

1. ● ....

   ○ Lo que tienes que hacer es comprarte otra, esta me parece que ya no sirve para nada.

2. ● ....

   ○ Creo que lo mejor es que pases unos días en el campo, así podrás olvidarte de todo.

3. ● ....

   ○ Yo te recomiendo que no vayas, pero tú haz lo que quieras.

4. ● ....

   ○ Deberías quedarte en casa y no ir a trabajar.

5. ● ....

   ○ Podrías comprarlo mañana, y así no perdemos tiempo.

6. ● ....

   ○ Yo no te aconsejo que lo hagas; aunque si quieres, hazlo. Pero si después tienes problemas, no cuentes conmigo.

B. Fíjate ahora en las diferentes construcciones que han usado estas personas para dar un consejo y completa la regla.

Deberías	....	
....	+ infinitivo	.... + **que** + subjuntivo
....		....

ASÍ PUEDES APRENDER MEJOR

Sinalefas LA 10

A. Escucha cómo lee María Inés estos poemas de Benedetti. Fíjate especialmente en cómo pronuncia las vocales que están señaladas en los textos e intenta leerlos tú igual.

[1]

Mi táctic<u>a e</u>s
                 mirarte
aprender como sos
quererte como sos

Mi táctic<u>a e</u>s
                 hablarte
<u>y e</u>scucharte
construir con palabras
un puent<u>e i</u>ndestructible

Mi táctic<u>a e</u>s
quedarm<u>e e</u>n tu recuerdo
no sé cómo   ni sé
con qué pretexto
pero quedarm<u>e e</u>n vos

[2]

Soñamos juntos
juntos despertamos
el tiemp<u>o hace o</u> deshace
mientras tanto

no l<u>e i</u>mportan tu sueño
ni mi sueño

82

B. Fíjate ahora en este otro fragmento. Léelo en voz alta intentando relacionar las vocales como en los poemas anteriores y escucha después la grabación para comprobar si lo has hecho bien.

[3]

Si te quier<u>o</u> <u>e</u>s porque sos
mi <u>a</u>mor mi cómplic<u>e</u> <u>y</u> todo
<u>y</u> <u>e</u>n la calle cod<u>o</u> <u>a</u> codo
somos mucho más que dos

Para mejorar la pronunciación, es muy útil aprender de memoria poemas o canciones, fijándose bien en la entonación y en la relación entre las palabras. Puedes hacer una selección de textos en español que te gusten e intentar memorizarlos.

C. Escoge uno de los poemas de la página 97 del Libro del alumno. Apréndelo de memoria y practica el ritmo, la entonación y la pronunciación.

AUTOEVALUACIÓN

Te será muy útil escribir tus impresiones tras cada unidad. Puedes hacerlo tratando de responder a las siguientes preguntas.

1. ¿Qué palabras de esta unidad quiero recordar?
   ....
   ....
   ....

2. ¿Qué estructuras gramaticales me parecen más útiles?
   ....
   ....
   ....

3. ¿Qué problemas he tenido?
   ....
   ....
   ....

4. ¿Qué tipo de actividad me ha sido de mayor ayuda?
   ....
   ....
   ....

5. ¿Y cuál me ha ayudado menos? ¿Por qué?
   ....
   ....
   ....

6. ¿Qué puedo hacer para mejorar mi español hablado/escrito?
   ....
   ....
   ....

9

gente y mensajes

1. **Primeras palabras.** Vocabulario útil para la unidad.
2. **¿Te lo dice o te lo pide?** Detectar la intención del hablante.
3. **Día de examen.** Expresiones para aconsejar, prohibir, prometer...
4. **Mensajes para Nacho.** Resumir el contenido de una serie de mensajes. Estilo indirecto.
5. **Redes sociales: ¿buen o mal uso?** Expresar la opinión personal. Usos de internet.
6. **Dos correos electrónicos.** Resumir el contenido de dos correos electrónicos.
7. **En la oficina.** Recursos para hacer peticiones.
8. **Perdone, ¿podría...?** Recursos para hacer peticiones.
9. **¿Me dejas el tuyo?** Recursos para hacer peticiones y justificar. Formas tónicas de los posesivos.
10. **En mi país y en el tuyo.** Formas tónicas de los posesivos.
11. **¿Puedo cerrar la ventana?** Recursos para pedir y dar permiso.
12. **Mensajes para tu compañero de piso.** Transmitir mensajes. Estilo indirecto.
13. **Lo que me han dicho hoy.** Transmitir mensajes. Estilo indirecto.
14. **Palabras literales.** Reconstruir mensajes a partir del estilo indirecto.
15. **Sin palabras.** Transmitir peticiones.
16. **La postal.** Reconstruir el contenido de una postal.
Agenda

La Habana

Primeras palabras

A. Aquí tienes algunas expresiones útiles para esta unidad. ¿Las conoces? ¿Puedes relacionarlas con las imágenes?

mensaje de voz ..... redes sociales ..... conectarse ..... pedir un favor .....

mensaje de texto ..... correo electrónico ..... contestador automático ...

llamar ..... enviar y responder mensajes de texto .... postal .....

B. ¿Conoces otras palabras en español que puedan ser útiles para esta unidad? Escríbelas en tu cuaderno.

2 **¿Te lo dice o te lo pide?** LA 1

A. Escucha lo que te dicen algunos amigos tuyos y marca qué quiere cada uno de ellos.

83

1.
☐ Te pide que le llames por teléfono.
☐ Dice que va a llamarte por teléfono.

2.
☐ Te recomienda que vayas a su casa a cenar el jueves.
☐ Te invita a cenar a su casa el jueves.

3.
☐ Te pide permiso para usar tu ordenador.
☐ Te da las gracias por dejarle usar tu ordenador.

4.
☐ Te cuenta que hoy ha visto al exnovio de Rosana.
☐ Te pregunta que si has ido al cine con Francisco.

5.
☐ Te pide que leas la novela de Marías.
☐ Te recomienda que leas la novela de Marías.

6.
☐ Te recuerda que mañana es el cumpleaños de Carlos.
☐ Te dice que le compres algo a Carlos por su cumpleaños.

7.
☐ Te propone que vayas a pasar el fin de semana fuera.
☐ Te pregunta qué vas a hacer el fin semana.

B. Vuelve a escuchar los mensajes, ¿qué palabras o expresiones crees que te han ayudado a saber cuál es la intención de cada una de las personas? Anótalas y compara con un compañero.

3 **Día de examen** LA 1

Anota las expresiones que la profesora utiliza para hacer las cosas de la lista.

1. prohibir algo: ....

2. insistir en algo: ....

3. aconsejar algo: ....

4. quejarse de algo: ....

5. prometer algo: ....

6. felicitar a alguien por algo: ....

7. avisar de algo: ....

8. disculparse por algo: ....

9. negar haber dicho algo: ....

10. anunciar algo: ....

4 **Mensajes para Nacho** LA 1

A. Lee estos mensajes que ha recibido Nacho y resume el contenido de cada uno en tu cuaderno.
Puedes utilizar estos verbos: **proponer, felicitar, avisar de, enviar, recordar, pedir, disculparse**.

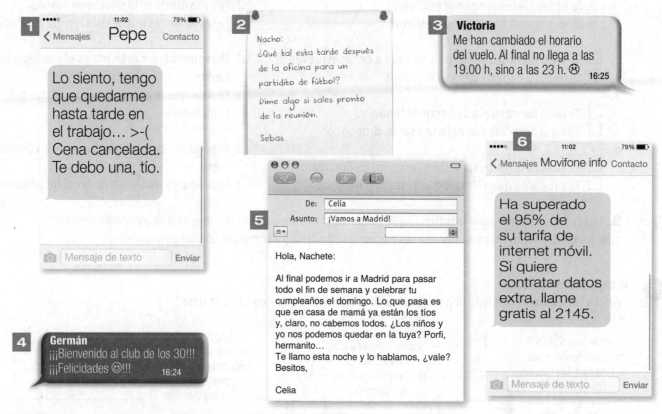

1 ••••• 11:02 79% 🔋
‹ Mensajes **Pepe** Contacto

Lo siento, tengo que quedarme hasta tarde en el trabajo… >-(Cena cancelada. Te debo una, tío.

📷 Mensaje de texto Enviar

2 Nacho:
¿Qué tal esta tarde después de la oficina para un partidito de fútbol?
Dime algo si sales pronto de la reunión.
Sebas

3 **Victoria**
Me han cambiado el horario del vuelo. Al final no llega a las 19.00 h, sino a las 23 h. ☹ 16:25

4 **Germán**
¡¡¡Bienvenido al club de los 30!!!
¡¡¡Felicidades ☺!!! 16:24

5 De: Celia
Asunto: ¡Vamos a Madrid!
Hola, Nachete:
Al final podemos ir a Madrid para pasar todo el fin de semana y celebrar tu cumpleaños el domingo. Lo que pasa es que en casa de mamá ya están los tíos y, claro, no cabemos todos. ¿Los niños y yo nos podemos quedar en la tuya? Porfi, hermanito…
Te llamo esta noche y lo hablamos, ¿vale?
Besitos,
Celia

6 ••••• 11:02 79% 🔋
‹ Mensajes Movifone info Contacto

Ha superado el 95% de su tarifa de internet móvil. Si quiere contratar datos extra, llame gratis al 2145.

📷 Mensaje de texto Enviar

Pepe le escribe para disculparse porque no puede ir a cenar con él.

B. Ahora, escribe tú cuatro mensajes a Nacho, que es amigo tuyo. Debes…

1. recordarle que mañana tiene una cita contigo.
2. avisarlo de que le has enviado unos paquetes.
3. felicitarlo por su cumpleaños.
4. proponerle que vaya contigo a jugar al tenis este fin de semana.

5 **Redes sociales: ¿buen o mal uso?** LA 2

A. Antes de leer el texto de la página 100 del Libro del alumno, responde a las siguientes preguntas. Después lee el texto. ¿Tu opinión coincide con lo que se dice en el artículo?

1. ¿Crees que las redes sociales son adictivas? ¿Por qué?

3. ¿Qué aspectos de una persona crees que puedes conocer a través de su perfil en las redes sociales?

2. ¿En general dirías que la relación de las personas en las redes sociales es superficial?

4. ¿Por qué crees que las redes sociales son tan estimulantes para sus usuarios?

B. Haz una lista con los usos de internet que se mencionan en el texto. ¿Puedes completarla con otros usos habituales? Puedes consultar a tu profesor o utilizar un diccionario.

Entrar en Facebook, responder a un mensaje de WhatsApp...

C. Vuelve a leer el texto y completa esta tabla.

	palabras o expresiones similares
subir fotos o vídeos a internet	
enviar un mensaje	
las nuevas tecnologías son adictivas	
entrar en una red social o en internet	
conocer a otras personas	
estar informado	
estar deprimido	

6

Dos correos electrónicos LA 3

Los señores Martínez acaban de recibir estos correos electrónicos de sus hijas. Léelos y fíjate bien en las informaciones marcadas. Después resume estas informaciones con las siguientes expresiones.

les anuncia que...   les recomienda que...   les pregunta si...   quiere que...

les propone que...   les pide que...   les cuenta que...   les dice que...

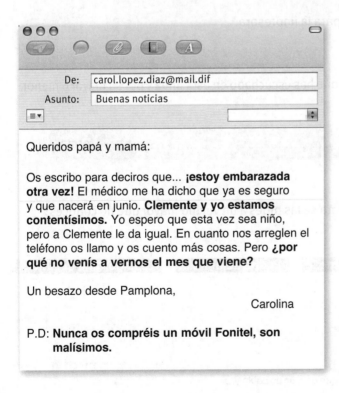

De: carol.lopez.diaz@mail.dif
Asunto: Buenas noticias

Queridos papá y mamá:

Os escribo para deciros que... **¡estoy embarazada otra vez!** El médico me ha dicho que ya es seguro y que nacerá en junio. **Clemente y yo estamos contentísimos.** Yo espero que esta vez sea niño, pero a Clemente le da igual. En cuanto nos arreglen el teléfono os llamo y os cuento más cosas. Pero **¿por qué no venís a vernos el mes que viene?**

Un besazo desde Pamplona,
Carolina

P.D: **Nunca os compréis un móvil Fonitel, son malísimos.**

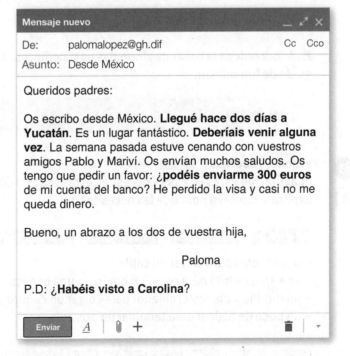

Mensaje nuevo

De: palomalopez@gh.dif   Cc Cco
Asunto: Desde México

Queridos padres:

Os escribo desde México. **Llegué hace dos días a Yucatán.** Es un lugar fantástico. **Deberíais venir alguna vez.** La semana pasada estuve cenando con vuestros amigos Pablo y Mariví. Os envían muchos saludos. Os tengo que pedir un favor: **¿podéis enviarme 300 euros** de mi cuenta del banco? He perdido la visa y casi no me queda dinero.

Bueno, un abrazo a los dos de vuestra hija,
Paloma

P.D: **¿Habéis visto a Carolina?**

Enviar

Paloma les pide que le envíen dinero porque ha perdido la tarjeta de crédito.

GENTE Y MENSAJES

84-88

7 En la oficina [LA 3]

A. Begoña trabaja como recepcionista en una oficina y recibe llamadas constantemente. Escucha y completa algunas de las conversaciones telefónicas que ha tenido hoy.

1. ● Sí, dígame.

   ○ Soy Julio, de Contabilidad...

   ● Ah, sí, dime.

   ○ .... me hagas unas fotocopias, por favor...

2. ● ¿Dígame?

   ○ Begoña...

   ● Sí, dime.

   ○ Oye, ¿..................... ir un momento a comprar papel de regalo? Es que...

3. ● Dígame, señor Urbano.

   ○ ¿..................... un momento a mi despacho? Tengo que enviar unos documentos importantes por mensajería y mi secretaria no está...

4. ● ... que está mi ordenador estropeado y no puedo hacer nada...

   ○ Sí, ya he llamado al servicio técnico, pero comunican todo el rato.

   ● Bufffff... Oye, pues ¿................................... uso el tuyo un rato, cuando no lo necesites?

5. ○ ¿Dígame?

   ● Begoña, perdona, ¿...................................? Papel para la impresora.

   ○ ¿Papel? A ver, espera...

B. Ahora ordena las distintas fórmulas para pedir cosas que has escuchado en esta línea y por su mayor o menor grado de formalidad.

+ formal .... – formal

8 Perdone, ¿podría...? [LA 4]

Imagina que estás en casa y necesitas estas cosas. ¿Cómo se las pides a un vecino mayor que no conoces? Explícale también para qué las necesitas.

¿Tiene...? ¿Tendría...? ¿Me deja...? ¿Puede dejarme...? ¿Podría dejarme...? ¿Le importaría dejarme...?

– unas tijeras para cortar un cable
– una aguja e hilo para coser un botón de una camisa
– un tornillo y un destornillador para colgar un cuadro
– un poco de azúcar para terminar un postre

Perdone, ¿podría dejarme unas tijeras, por favor? Es que tengo que cortar un cable y...

9 **¿Me dejas el tuyo?** `LA 4`

Elige una de las fórmulas para pedir cosas y escribe una petición adecuada para cada una de las siguientes situaciones. Añade una razón para justificar lo que pides y el posesivo adecuado.

`¿Tiene(s)...?`   `¿Tendría(s)...?`   `¿Me deja(s)...?`   `¿Puede(s)/podría(s) dejarme...?`   `¿Te/le importaría dejarme...?`

1. Has olvidado tu diccionario en casa. Pídeselo a un compañero de clase.

   Perdona, es que no tengo aquí mi diccionario. ¿Me dejas el tuyo?

2. Llevas dos horas en el tren y estás aburrido. El viajero de al lado tiene una revista y no la lee. Pídesela.

   ....

   ....

3. Tu coche está en el taller. Se lo pides a tus padres.

   ....

   ....

4. Estás en un bar, tienes que anotar algo y tu bolígrafo no escribe. El camarero tiene uno, pídeselo.

   ....

   ....

5. Necesitas hacer una llamada importante y tu móvil no tiene batería. Pídeselo a tu jefe.

   ....

   ....

   ....

10 **En mi país y en el tuyo** `LA 4`

En parejas. Haz frases sobre los temas que te proponemos y léeselas a tu compañero. Él tiene que reaccionar utilizando pronombres posesivos.

> **ALUMNO A**
> - el tiempo en mi ciudad/país
> - lo que le gusta a mis hijos/padres/hermanos...
> - mi perro/gato...

> **ALUMNO B**
> - mi coche/bici/moto...
> - mis vecinos y lo que hacen
> - mi barrio
> - la letra de mi compañero
> - mi primera relación sentimental

● En mi país el tiempo es muy malo en esta época del año.
○ En el mío también: llueve cada día.

11 **¿Puedo cerrar la ventana?** `LA 4`

Un familiar tuyo que está de visita en tu casa te pide permiso para hacer estas cosas. Respóndele dándole el permiso o negándoselo.

1. ● ¿Puedo cerrar la ventana? Es que hace un frío...

   ○ ....

2. ● ¿Te importa si pongo esta canción? Me apetece mucho escucharla.

   ○ ....

3. ● ¡Qué hambre! ¿Puedo probar este jamón? Tiene un aspecto estupendo.

   ○ ....

4. ● Oye, ahora hace calor, ¿te importa si abro un poco la ventana?

   ○ ....

5. ● ¿Me dejas llamar por teléfono? Es que mi novia está esperándome y...

   ○ ....

6. ● ¿Puedo hacer los pasatiempos de este periódico?

   ○ ....

12 **Mensajes para tu compañera de piso** `LA 5`

89-92

Ayer, Carmen, tu compañera de piso, se fue de viaje y se dejó el móvil. Te ha pedido que escuches sus mensajes y que le escribas un correo contándole lo que dicen. Ha recibido cuatro mensajes.

Mensaje nuevo _ ⤢ ✕

Para: carmenhigueras@gh.dif   Cc   Cco

Asunto: Mensajes de ayer

Hola Carmen:

Te ha llamado José Luis. Dice que .... no .... ir a tomar café a casa de Javier. Dice que lo .... mucho pero que ha llegado .... hermana de visita y que se va a quedar hasta el sábado.

Además, te ha llamado tu madre. Quería saber .... y además .... que .... el cumpleaños de tu padre.

También te han llamado del Banco del Mediterráneo. Dicen que .... a las diez .... una entrevista .... en las oficinas centrales para la plaza que .... Dicen que .... por el señor Alonso.

Por último, te ha llamado Javier. Dice que .... que pedir..................... a los dos. Dice que .... buscando piso y que .... dejar .... cosas en algún lugar. .... si .... sitio. .... que lo .... lo antes posible y que .... si .... de acuerdo y si puede .... cajas ....

[Enviar] _A_ 📎 +   🗑 ▾

---

13 **Lo que me han dicho hoy** `LA 5`

Hoy por la calle te has encontrado con estas personas y te han dicho estas cosas.
Después, en casa, se las cuentas a Carmen, tu compañera de piso.

SRA. MARÍA

1 Oye, has engordado un poco, ¿no? ¿Por qué no haces la dieta que hice yo? A mí me fue muy bien.

MANOLO

2 ¿Os apetece a Carmen y a ti venir a cenar a mi casa? Yo cocino y vosotros traéis el vino, ¿vale?

EDU

3 ¿Podrías dejarme tu coche este lunes? Es que llega mi madre al aeropuerto por la tarde y tengo el coche en el taller.

CARLOS

4 Dile a Carmen que mañana le llevo los libros que me prestó.

1. He visto a la señora María y...
....

2. ....
....

3. ....
....

4. ....

14 **Palabras literales** `LA 6`

¿Cuáles pudieron ser las palabras que dijeron cada una de estas personas originalmente? Reconstruye las frases a partir de lo que le cuenta Clara a su novio.

1. Jorge: ".."

   Clara: Jorge me ha aconsejado que haga un curso de fotografía. Dice que es muy interesante.

2. Marta: ".."

   Clara: Ha llamado Marta para pedirme el libro de cocina que compré en Italia.

3. Rosa: ".."

   Clara: Rosa pregunta en su carta que si vamos a ir a visitarla este verano.

4. Luis: ".."

   Clara: Me ha dicho Luis que le lleve mañana a la oficina los libros que me dejó.

5. Pedro: ".."

   Clara: Pedro va y me pregunta esta mañana que desde cuándo tengo novio. ¡Y a él qué puede importarle!

15 **Sin palabras** `LA 7`

En grupos. Escribe en un papel una petición para un compañero. Tu compañero va a intentar explicar a los demás, sin hablar (con mímica o dibujando), lo que le has pedido hasta que alguien lo descubra. Una condición: los miembros del grupo tienen que empezar sus intervenciones con **Te ha pedido que...**

16 **La postal** `LA 10`

Lee el siguiente diálogo e intenta después reconstruir en tu cuaderno la postal de la que hablan Mabel y Ramón.

● Ramón, mira, Ana me ha mandado una postal desde México.
○ ¿Y qué cuenta?
● Nada, que está allí pasando unos días con unos amigos y que lo está pasando muy bien.
○ ¿Y con qué amigos se ha ido?
● No sé, en la carta solo habla de Javier y de un tal Lucas, que vive en ciudad de México y que tiene también una casa en Oaxaca.
○ ¿No dice cuándo va a volver?
● No, dice que ya nos llamará, pero pide que, por favor, pasemos por su casa a sacar el correo del buzón.
○ Y que demos de comer al gato, claro.
● No, del gato no dice nada, pero manda recuerdos para ti.

GENTE Y MENSAJES

ASÍ PUEDES APRENDER MEJOR

17

Escribir mejor

Reflexiona sobre cómo escribiste la postal del ejercicio 16 y, en general, sobre cómo realizas las tareas de escritura. ¿Qué tipo de escritor eres? Responde a las siguientes preguntas. Luego, discute con tus compañeros cuáles son las mejores estrategias para aprovechar más las actividades de escritura.

1. ¿Qué opinas de la escritura en clase de idiomas?
   ☐ Es muy útil para aprender lengua: me ayuda mucho a fijar cosas.
   ☐ Me ayuda a fijar algunas cosas de gramática y de vocabulario.
   ☐ No creo que me sirva de nada. Prefiero hablar. Escribir es un rollo.

2. ¿Dónde buscas ayuda para escribir un texto?
   ☐ Busco textos parecidos como modelos.
   ☐ A veces busco textos, pero no siempre.
   ☐ Escribo directamente. No necesito ningún modelo. Lo importante es ser original.

3. ¿Qué herramientas utilizas?
   ☐ Diccionarios.
   ☐ Gramáticas y diccionarios.
   ☐ La inspiración y un bolígrafo.

4. ¿Cómo planificas el trabajo?
   ☐ Escribo directamente el texto final.
   ☐ Hago primero una lista de temas que voy a tratar, un esquema y uno o varios borradores.
   ☐ Hago un borrador y luego lo paso a limpio.

5. Cuando revisas el borrador... ¿haces muchos cambios?
   ☐ Cambio muchas cosas, incluso de estructura, porque se me ocurren nuevos temas y nuevas maneras de decir las cosas.
   ☐ No cambio casi nada, solo algún detalle. La primera versión siempre me parece mejor.
   ☐ Corrijo algunas cosas para mejorar la ortografía y la gramática.

Enfrentarnos a una hoja en blanco cuando tenemos que elaborar un texto escrito no es fácil, incluso en nuestro propio idioma. Y todavía resulta más difícil si tenemos que escribir en una lengua que estamos aprendiendo. Es bueno reflexionar sobre cómo lo hacemos para poder mejorar nuestras estrategias y para sacar más provecho de las actividades de escritura. Así, iremos ampliando nuestra capacidad de escribir en español.

Mensajes no lingüísticos

A. ¿Conoces el lenguaje no verbal de los españoles? Observa las fotos y di qué puede estar expresando esta persona.

Los movimientos del cuerpo (los gestos, la expresión facial...) o la distancia con respecto al interlocutor también ayudan a confirmar lo que decimos o dan una información adicional a nuestro mensaje. Los gestos pueden, incluso, comunicar información sin palabras.
Aunque algunos gestos son universales, hay que tener en cuenta que un gesto que en nuestra cultura pasa desapercibido, en otra parte del mundo puede generar confusiones y malentendidos.

B. ¿Y en tu cultura? ¿Cómo transmites las expresiones anteriores?

 C. Piensa en algunos gestos propios de tu cultura y represéntalos. Tus compañeros tendrán que adivinar a qué hacen referencia.

AUTOEVALUACIÓN

Te será muy útil escribir tus impresiones tras cada unidad. Puedes hacerlo tratando de responder a las siguientes preguntas.

1. ¿Qué palabras de esta unidad quiero recordar?
....
....
....

2. ¿Qué estructuras gramaticales me parecen más útiles?
....
....
....

3. ¿Qué problemas he tenido?
....
....
....

4. ¿Qué tipo de actividad me ha sido de mayor ayuda?
....
....
....

5. ¿Y cuál me ha ayudado menos? ¿Por qué?
....
....
....

6. ¿Qué puedo hacer para mejorar mi español hablado/escrito?
....
....
....

10
gente que sabe

1. **Primeras palabras.** Vocabulario útil para la unidad.

2. **Imágenes de un país.** Relacionar imágenes representativas de un país.

3. **Datos.** Elementos representativos de varios países hispanos.

4. **En el restaurante.** Recursos para aclarar dudas sobre la carta de un restaurante.

5. **Tenemos problemas muy importantes.** Problemas de diferentes países hispanos.

6. **¿Qué sabes de...?** Preparar una presentación sobre un país de habla hispana.

7. **No creo que sea cierto.** Expresiones con indicativo y subjuntivo. El imperfecto para reaccionar ante una información.

8. **Palabras de aquí y de allá.** Sensibilización sobre variedades del español.

9. **Mi lugar de origen.** Preparar una presentación sobre tu país, tu región o tu ciudad.

10. **Estudiar español en México.** Buscar información específica en un texto.

11. **En el D. F.** Elaborar preguntas. Datos y cifras sobre la capital mexicana.

12. **Besos para todos.** Responder a dos mensajes.

13. **¿Qué dices tú?** Seleccionar la reacción más adecuada a una serie de preguntas.

14. **Me voy a Canadá.** Detectar errores en las intervenciones de los compañeros.

15. **Me gustaría conocerte mejor.** Elaborar un cuestionario y hacer una entrevista.

Agenda

1 **Primeras palabras**

A. Aquí tienes algunas expresiones útiles para esta unidad. ¿Las conoces? ¿Puedes relacionarlas con las imágenes?

geografía ..... costumbres ..... cultura ..... gastronomía .....

economía ..... clima ..... celebraciones .....

lugares de interés ..... variedades lingüísticas .....

B. ¿Conoces otras palabras en español que puedan ser útiles para esta unidad? Escríbelas en tu cuaderno.

2 Imágenes de un país `LA 1`

A. ¿Sabes con qué país sudamericano están relacionadas las siguientes imágenes? Escribe qué aparece en cada una. ¿Por qué son relevantes culturalmente? Coméntalo con un compañero.

....

PAÍS: ....

....

....

....

- Yo diría que esta persona/ esto es...
- No estoy muy seguro/a (de eso).
- Sé quién / lo que es... pero ahora no recuerdo el nombre...

93

B. Ahora escucha lo que comentan un español y una argentina sobre lo que representan las imágenes. ¿Coincide con lo que habíais comentado? ¿Qué se dice sobre la importancia cultural de cada cosa?

3 Datos `LA 1`

Clasifica los siguientes elementos en la tabla y busca en internet al menos dos elementos más para cada categoría.

Las líneas de Nazca   Julio Cortázar   Río Amazonas   Carlos Fuentes   Chichén Itzá
Causa rellena   Diego Rivera   el Inca Garcilaso de la Vega   Machu Picchu
Chabuca Granda   La Malinche   La puna

	México	Argentina	Perú
personajes importantes			
alimentos			
bebidas			
arte y costumbres			
ciudades			
paisajes y geografía			

GENTE QUE SABE

4

94

En el restaurante LA 2

A. Fabián lleva a su amiga Amalia a su restaurante argentino preferido. En parejas, mirad la carta y escuchad la conversación para responder a las preguntas.

RESTAURANTE CAMBALACHE
ESPECIALIDADES ARGENTINAS

MINUTAS Y PASTAS
Empanada de carne
Empanada de atún
Milanesas con papas fritas
Lengua a la vinagreta
Bife a caballo
Ravioles
Tallarines
Ñoquis

ESPECIALIDADES
Asado de tira (300 gr) a la brasa
Vacío al asador
Entraña a la parrilla
(chimichurri de la casa)

POSTRES
Torta helada
Flan con dulce de leche
Flan con dulce de leche y nata
Durazno en almíbar
Tiramisú

1. ¿Qué es el asado de tira? ¿Carne o pescado? ....

2. ¿Qué puede ser el chimichurri? ¿Una verdura o una salsa? ....

3. ¿Milanesas es un plato de carne o de pasta? ....

4. ¿Qué es un bife a caballo? ....

5. ¿Qué es el dulce de leche? ....

6. ¿Qué es el durazno? ....

B. ¿Qué pedirías tú para comer?

5

95

Tenemos problemas muy importantes LA 3

Vas a escuchar a un español, a una argentina y a una mexicana comentando cuáles son los mayores problemas de sus países. Completa la tabla.

	Países
la superpoblación de la capital	
la corrupción de los políticos	
la delincuencia	
la contaminación	
el terrorismo	
el desempleo o paro	

6

¿Qué sabes de...? LA 3

Elige un país de habla española y busca en internet información sobre uno o varios de estos temas. Prepara una pequeña presentación con imágenes.

– geografía
– población
– clima

– economía
– cultura
– gastronomía

– lenguas indígenas
– deportes
– problemas

No creo que sea cierto `LA 5`

A. Lee estas afirmaciones sobre el español en los Estados Unidos, ¿crees que son ciertas o no? Discútelo con un compañero.

1 La comunidad hispana tiene un gran crecimiento y podría ser el 25% de la población dentro de 50 años.

5 En Estados Unidos, el español es el segundo idioma con mayor número de hablantes después del inglés.

8 Hay una institución que estudia la variedad estadounidense del español: la Academia Norteamericana de la Lengua Española.

2 Es lengua oficial junto con el inglés.

6 Puedes sacarte el permiso de conducir en español.

9 Si no hablas inglés, puedes sobrevivir con el español en ciudades como Nueva York, Los Ángeles o Chicago.

3 Es el segundo país en número de hablantes de español.

7 La cadenas de televisión con más audiencia emiten en español.

4 La independencia estadounidense fue gracias a un español.

10 Hay más de 1000 periódicos en español.

- Yo creo que es verdad que Estados Unidos es el segundo país con más hablantes de español.
- Pues yo no creo que el español sea lengua oficial.

 B. Ahora escucha el programa de radio *A que no sabías que…* Toma notas y comprueba tus respuestas.

96

 C. Comenta con tus compañeros lo que ya sabías o no.

- Yo no sabía que …
- Pues yo pensaba que…

 Palabras de aquí y de allá `LA 6`

Marca qué palabras tienen un significado similar y busca en internet en qué países de habla hispana puedes escuchar normalmente cada una.

levantarse	dinero	pararse	mesero	mozo	boleto de avión
plata	americana	camarero	sándwich	billete de avión	ají
chaqueta	banqueta	pasaje de avión	guindilla	habitación	apartamento
chile	ponerse de pie	valija	colectivo	departamento	chumpa
acera	sánduche	vereda	maleta	piso	recámara
saco	bus	sánguche	camión	bocadillo	guagua

9 **Mi lugar de origen**

A. Mira el póster que ha preparado una estudiante de español y crea uno parecido sobre tu país de origen, tu región o tu ciudad. Busca información e imágenes en internet e intenta que sea lo más atractivo posible.

INNSBRUCK
CIUDAD ALPINA

GEOGRAFÍA
- Situada en el oeste de Austria
- Capital del Tirol

VISITAS DE INTERÉS
- Palacio Imperial (Hofburg)
- El "Tejadillo de Oro" (Goldenes Dachl)
- Trampolín de salto de Bergisel

CLIMA
- Inviernos muy fríos
- Veranos calurosos

POBLACIÓN
- 130.000 habitantes
- De mayoría tirolesa
- Principales minorías: turcos, norteafricanos, chinos, hindúes...

PRINCIPALES PROBLEMAS
- La integración de los inmigrantes
- El envejecimiento de la población
- Coste de vida muy alto

OTROS DATOS
- Atractiva para practicar deportes
- Ciudad universitaria
- Gran calidad de vida

 B. Ahora, presenta tu póster al resto de la clase y responde a las preguntas de tus compañeros.

10 **Estudiar español en México** REPASO

Las siguientes personas quieren perfeccionar su español en México D. F. Busca en el folleto de la escuela Teotihuacan si hay alguna oferta adecuada para cada uno de ellos. Coméntalo con tus compañeros.

HANS
Es traductor e intérprete y ya sabe mucho español. Ahora quiere ser profesor de español.

VERA
Su empresa, un banco, la ha destinado tres años a México D.F. Trabaja todo el día hasta las 20 h. Ya ha estudiado español dos años.

CHRISTIAN
Quiere pasar unas vacaciones y estudiar un poco de español. No sabe nada. Es estudiante y tiene poco dinero.

LEE
Es ingeniero y necesita trabajar en español. Quiere progresar muy rápidamente en poco tiempo.

Escuela de español para extranjeros
TEOTIHUACAN

Aprende español en la Ciudad de México, una gran metrópoli con mucha cultura y muchas actividades a tu alcance.

Estamos ubicados en una de las zonas más emblemáticas y céntricas del D.F.

Ofrecemos un programa combinado de lengua con actividades sociales como clases de cocina mexicana, clases de baile, actividades con alumnos mexicanos, excursiones a museos y a las pirámides.

Los estudiantes pueden registrarse en cursos semanales, tantas semanas como lo deseen, en las diferentes modalidades:

- Cursos intensivos
- Cursos extensivos
- Cursos privados
- Español para viajeros

El material didáctico está incluido en las tarifas de inscripción.

Hay 6 niveles: A1, A2, B1, B2, C1, C2; con un total de 100 horas de clase por nivel. Se evalúa el conocimiento de los estudiantes en una entrevista oral y una prueba escrita.

En las clases se combinan las actividades comunicativas con la práctica gramatical, y se practican todas las habilidades lingüísticas: escritura, lectura, compensión auditiva y conversación para lograr un aprendizaje del idioma rápido y eficaz.

CURSOS INTENSIVOS
Los cursos inician los días lunes. 5 sesiones diarias de 50 minutos. 4 semanas por nivel.

CURSOS EXTENSIVOS
8 horas de clase semanales en 4 sesiones de 2 horas (lunes-jueves).

CURSOS PRIVADOS
Para aquellos estudiantes que deseen un programa especial de acuerdo con sus necesidades particulares.

ESPAÑOL PARA VIAJEROS
Cursos de 2 semanas, 5 horas al día. Programados para aprender a resolver las necesidades comunicativas básicas en un viaje de turismo.

HOSPEDAJE
Tenemos la opción de hospedaje para nuestros estudiantes en la residencia de la escuela. Las habitaciones tienen baño, TV, cocina, 2 recámaras, sala y comedor. Para una experiencia más intensa de aprendizaje recomendamos el hospedaje con familias. Seleccionamos a las familias y todos los apartamentos se ubican a un máximo de 20 minutos de la escuela.

Residencia en la escuela	Cuarto individual	180 US$.
	Cuarto doble	140 US$.
Familia	Cuarto individual	180 US$.

* El hospedaje debe ser pagado antes de iniciar el curso.

EXCURSIONES Y VISITAS
- Pirámides de Teotihuacan
- Museo de Antropología (arte precolombino)
- Chapultepec
- Basílica de Guadalupe
- Jardines de Xochimilco
- Acapulco

GENTE QUE SABE

11 En el D.F. REPASO

A. Imagina que tienes que pasar algún tiempo en México D.F. ¿Qué cosas te interesa saber sobre la ciudad? Escribe una lista de preguntas en tu cuaderno.

B. Ahora lee este texto y mira si encuentras algunas de las respuestas.

MÉXICO D.F.

Situada entre montañas y lagos, la capital de los Estados Unidos Mexicanos es una ciudad apasionante en la que, con sus 20 millones de habitantes, caben los mayores contrastes: la tradición popular e indígena y la vitalidad de una gran metrópoli.

CIUDAD DE MÉXICO

UBICACIÓN: en el centro del territorio mexicano, situada entre dos cadenas montañosas (99° 09′ longitud oeste, 19° 24′ latitud norte).

ALTITUD: 2240 metros sobre el nivel del mar.

CLIMA: Semiseco templado.

POBLACIÓN: 20 millones en el área metropolitana (se calcula que llegan 2000 personas diariamente a la ciudad).

EXTENSIÓN: 3129 km².

UNA MARCA: la calle más grande del mundo, Insurgentes, con 25 kilómetros.

OTRAS CIFRAS:
- 2,6 millones de vehículos automotores
- 316 000 empresas (80% de las totales del país)
- 344 hospitales
- 25 000 cuartos de hotel
- 161 museos
- 30 salas de conciertos
- 106 galerías de arte
- 107 cines
- 30 millones de metros de áreas verdes

12 Besos para todos REPASO

Has recibido estos mensajes de dos personas. Contéstalos.

Tu ordenador no funciona nada bien. Si quieres, lo llevo a arreglar o llamo al servicio técnico. Ha llamado el Sr. Benabarre y me ha pedido tu teléfono particular. ¿Se lo puedo dar? Ha dicho que volverá a llamar. Déjame una nota con instrucciones.

Carlos

Asunto: Mi Buenos Aires querido
Fecha: 15/04
De: Nuriline
Para: Duduline

¡Hola!

Ya hemos llegado a Buenos Aires. Es una ciudad muy interesante. Nuestros amigos argentinos, Lucho y su familia, nos han recibido maravillosamente y creo que lo vamos a pasar muy bien. Dentro de tres días nos vamos a la Patagonia y estaremos unos días "desconectados".

¡Besos para todos!

13 ¿Qué dices tú? `REPASO`

97

Vas a escuchar una serie de preguntas. ¿Cuál sería la reacción más adecuada? Márcala.

1. ☐ No lo sabía.
   ☐ Ya lo sé.
   ☐ Es una cosa para beber, creo.

2. ☐ Nada, no me pasa nada, estoy bien...
   ☐ Me lo he pasado mal.
   ☐ No lo encuentro.

3. ☐ Me parece bien.
   ☐ Sí, yo no me llevaría nada bien con ella.
   ☐ ¿De qué especialidad?

4. ☐ Yo tampoco.
   ☐ No es demasiado.
   ☐ A mí no me gustaría.

5. ☐ Pues no tengo ni idea.
   ☐ No es la misma.
   ☐ Tiene 34.

6. ☐ El verano pasado.
   ☐ Ya he ido.
   ☐ No fui.

7. ☐ No creo.
   ☐ Poco.
   ☐ No, ¿por qué?

8. ☐ Yo no iba.
   ☐ Yo viajando, hablando con amigos españoles.
   ☐ No sé español.

9. ☐ ¿Te va bien a las 7 h?
   ☐ Nos quedamos aquí.
   ☐ Me quedo hasta las 6 h.

10. ☐ Es bueno.
    ☐ ¿Y para qué sirve?
    ☐ No lo sé.

11. ☐ De cualquier material, pero que sea grande y fuerte.
    ☐ No es de madera, es metálica.
    ☐ Negros.

12. ☐ Fuimos a cenar a casa de unos amigos.
    ☐ No estábamos ahí.
    ☐ No estuvimos anoche, sino anteayer.

13. ☐ Sin duda.
    ☐ Tengo una duda.
    ☐ Dudo que sí.

14. ☐ Ah, ¿sí? ¿Qué les ha pasado?
    ☐ No se les ha pasado.
    ☐ ¿Qué os pasa?

14 Me voy a Canadá `REPASO`

En parejas, vais a imaginar que estáis en una de las siguientes situaciones. Tenéis que hablar al menos tres minutos. Repartíos los papeles y preparad vuestros argumentos. Luego, representad la situación delante de toda la clase. Los demás escuchan y tratan de anotar fallos para comentarlos después.

SITUACIÓN 1

ALUMNO A

Has decidido emigrar a un país extranjero (decide cuál). Prepara tus razones y coméntaselo a tu compañero.

ALUMNO B

Tu compañero ha decidido irse a vivir a un país extranjero. Tú crees que no es una buena idea. Prepara tus argumentos y consejos y coméntalo con él.

SITUACIÓN 2

ALUMNO A

Estás pasando una crisis personal y en el trabajo. No te apetece hacer nada, necesitas un cambio y no sabes qué hacer, pero no te apetece mucho cambiar de país.

ALUMNO B

Tu compañero está pasando una crisis. Tú crees que lo mejor es que se vaya a algún país extranjero una temporada. Recomiéndale varios e intenta convencerle.

15 Me gustaría conocerte mejor `REPASO`

A. Vas a hacerle una entrevista a tu profesor o a un compañero. Pregúntale sobre estos temas. Prepara un borrador del cuestionario por escrito.

– problemas de su profesión
– hábitos diarios
– aficiones
– carácter
– el viaje más interesante que ha hecho

B. Luego, hazle la entrevista sin leer tus notas.

ASÍ PUEDES APRENDER MEJOR

16 **Resolver dudas**

A. Te encuentras con dudas a la hora de continuar las siguientes frases.
Busca la solución en el Consultorio gramatical del Libro del alumno.

	Lo he encontrado en la página...
● ¿Qué (**le/se/la**) (1) _____ ha pasado a tu hermana?	1. _____
○ No sé. Se ha (**poner**) (2) _____ muy nerviosa.	2. _____
● ¿Le has dicho a Juan que iremos a verlo?	
○ No, (**le lo/se le/se lo**) (3)_____ diré mañana, cuando (**venir**) (4) _____ a casa.	3. _____ 4. _____
○ No aguanto que me (**decir**) (5) _____ lo que tengo que hacer.	5. _____

A veces queremos expresarnos y no sabemos cuál es la forma correcta de hacerlo, o dudamos entre dos formas distintas. Si estamos hablando, no podemos detenernos para consultar un diccionario o una gramática, pero sí podemos hacerlo cuando estamos escribiendo. También podemos hacer esa consulta en nuestra casa, después de haber mantenido la conversación en la que ha surgido la duda.

B. También puedes hacer una prueba consultando diccionarios o buscadores de internet para encontrar el valor de las palabras destacadas en estas frases.

Jaime encontró un piso a muy buen **precio** cerca del mercado.

Hemos visto la nueva casa de Esther y Emilio; es **preciosa**.

Siempre **apreció** mucho nuestra compañía.

Se **han apreciado** diversos movimientos sísmicos en las zonas próximas al volcán.

Una forma de seguir progresando en el aprendizaje del español es consultar con frecuencia, y de manera eficaz, gramáticas y diccionarios. Un buen diccionario contiene mucha información sobre aspectos gramaticales y de uso de la lengua. ¿Tienes en tu casa y en la biblioteca de tu escuela una gramática y un diccionario con los que trabajes a gusto?

AUTOEVALUACIÓN

Vamos a hacer una evaluación general de lo que hemos aprendido: ¿en cuáles de estas situaciones serías capaz de desenvolverte? Si no puedes desenvolverte en ninguna, consulta en el Libro del alumno qué has olvidado: eso será lo que debes volver a practicar.

– Dar consejos a un amigo que tiene problemas con las clases de español sobre lo que puede hacer para aprender mejor. (UNIDAD 0)

– Presentar a un amigo de tu país a tus amigos españoles: explicar cómo es, qué cosas le gusta hacer, qué ha hecho en su vida profesional o de estudiante... (UNIDAD 1)

– Ponerte de acuerdo con otra persona para quedar con ella y hacer algo una tarde del próximo fin de semana: expresar tus preferencias, elegir una actividad, concretar la cita (hora, lugar, etc.). (UNIDAD 2)

– Contar qué hiciste ayer. (UNIDAD 3)

– Interesarte por una persona que tiene algún problema de salud y darle una serie de recomendaciones. (UNIDAD 4)

– Describir un aparato u objeto que quieres comprar: su función, su forma, etc. (UNIDAD 5)

– Describir una empresa o un servicio que utilizas a menudo y valorarlo. (UNIDAD 6)

– Defender tus opiniones en una reunión sobre un tema determinado. (UNIDAD 7)

– Explicar un problema personal de alguien conocido y dar tu opinión al respecto. (UNIDAD 8)

– Transmitir a otra persona el contenido de una llamada telefónica que tú has recibido. (UNIDAD 9)

– Dar información a alguien sobre cómo es tu país. (UNIDAD 10)

Si quieres consolidar tu nivel B1,
te recomendamos:

GRAMÁTICAS

Gramática básica del estudiante de español

Cuadernos de gramática española B1

PREPARACIÓN PARA EL DELE

Las claves del nuevo DELE B1

LECTURAS GRADUADAS

García Márquez. Una realidad mágica

Dalí. El pintor de sueños

Taxi a Coyoacán

La vida es un tango

Los jóvenes argentinos